LES MATHILDERIES

La Gaspésie en recettes

Recettes de Mathilde Cotto...
avec la complicité du chef André La...

Photographies de Jacques Gra...

D1214071

L'ÉQUIPE DES MATHILDERIES

RECETTES : Mathilde Cotton

CHOIX ET VALIDATION DES RECETTES :
Mathilde Cotton et Maïté Samuel-Leduc, Journal GRAFFICI

COLLECTE DES RECETTES :
Gabrièle Briggs, Journal GRAFFICI

COORDINATION DU PROJET :
Frédéric Vincent, Journal GRAFFICI,
et Marie-Ève Forest, Communication Antilope

DIRECTION ARTISTIQUE ET GRAPHISME :
Marilou Levasseur, Journal GRAFFICI

STANDARDISATION ET RÉALISATION DES RECETTES :
André Lagacé, chef consultant

PHOTOGRAPHIES : Jacques Gratton
(www.jacquesgratton.com)

CAPSULES HISTORIQUES :
Michel Lambert, historien de la cuisine

RÉVISION ET CORRECTION : Sarah Bernard

PERSONNES SUR LA COUVERTURE :
Mathilde Cotton, Noam et Zaolie Goyer-Samuel

PROMOTION ET DISTRIBUTION EN GASPÉSIE :
Joanie Arsenault, Journal GRAFFICI
418 392-7440, p. 11 | marketing@graffici.ca

Nous remercions chaleureusement le chef André Lagacé, sa conjointe, Tanya Gérard, et leur fils, Loïc Lagacé, pour leur accueil si convivial lors de la séance de photographie à leur domicile. Merci également à Marc Dupont, pour ses exquises conserves de maquereau; à Geneviève Durocher, pour ses délicieuses fleurs; et à Mélanie Rousseau et Nicolas Audet, de La Cigale et la Fourmi, pour leurs fruits et légumes colorés ainsi que leurs savoureux bouquets. Enfin, un merci tout spécial à Maïté Samuel-Leduc, qui a accompagné sa grand-mère dans différentes étapes de cette grande aventure, et à son conjoint, Vincent Goyer, à qui l'on doit le nom original des *Mathilderies*. Le couple a également réalisé de succulents desserts pour la séance de photographie.

Le projet de livre *Les Mathilderies* a été rendu possible grâce à la participation financière de la Conférence régionale des élu(e)s Gaspésie–Îles-de-la-Madeleine, du ministère de la Culture, des Communications et de la Condition féminine du Québec ainsi que du ministère des Affaires municipales, des Régions et de l'Occupation du territoire du Québec, dans le cadre du Fonds de soutien au développement culturel Gaspésie–Îles-de-la-Madeleine.

ISBN 978-2-9812194-0-4

Dépôt légal : 2010
Bibliothèque et Archives nationales du Québec
Bibliothèque et Archives Canada
© Journal GRAFFICI, 2010

Cet ouvrage a été imprimé au Québec par Solisco.

Journal GRAFFICI
200B, boulevard Perron Ouest, New Richmond (Québec) G0C 2B0
418 392-7440 | www.graffici.ca

Tous droits réservés. Le contenu du présent ouvrage ne peut être reproduit, transmis ou enregistré, en tout ou en partie, par quelque moyen que ce soit, sans l'autorisation écrite de l'éditeur.

TABLE DES MATIÈRES

INTRODUCTION

Les Mathilderies, *c'est une invitation à déguster des recettes gaspésiennes issues d'un joyeux mélange de tradition et de modernité. C'est aussi un riche héritage transmis de génération en génération dans la famille de Mathilde Cotton, véritable icône du patrimoine et du savoir-faire culinaires en Gaspésie.*

QUI EST
MATHILDE COTTON ?

Originaire de Rivière-au-Renard, près de Gaspé, Mathilde Cotton habite ce village depuis sa naissance. Issue d'une famille de 12 enfants, elle commence à cuisiner très jeune en aidant sa mère, une très bonne cuisinière. À la petite école de son village, elle cuisine chaque vendredi dans le cours d'enseignement ménager des sœurs de Notre-Dame du Saint-Rosaire.

Plus tard, alors qu'elle travaille à la Coop d'alimentation de Rivière-au-Renard, elle rencontre son mari, Raymond, avec qui elle aura trois enfants. Sa vie professionnelle se poursuit avec l'ouverture d'une boutique de tissus dans le sous-sol de sa maison et enfin, pendant 20 ans, un emploi de secrétaire à la fabrique de la paroisse de Rivière-au-Renard. Durant toutes ces années et encore aujourd'hui, la maison de Mathilde est toujours remplie de membres de sa famille ou d'amis, heureux d'être invités à sa table.

À 83 ans, Mathilde prend toujours plaisir à cuisiner et à communiquer sa passion, son savoir-faire et ses recettes, transmises de génération en génération. Après ses neuf petits-enfants, ce sont maintenant ses cinq arrière-petits-enfants qui prennent place près d'elle pour pétrir le pain ou tremper leur doigt dans une préparation pour gâteau ! Et, depuis 2007, Mathilde offre ses recettes à l'ensemble de la population gaspésienne par l'entremise du journal GRAFFICI, dans la rubrique « Les Mathilderies ».

GRAFFICI ET
LES MATHILDERIES

Fondé en mai 2000, le Journal GRAFFICI est une coopérative de solidarité qui a pour mission de produire, pour l'ensemble de la population gaspésienne, un média d'information régionale rassembleur, accessible et de qualité.

Avec un tirage actuel de près de 40 000 exemplaires, GRAFFICI constitue l'un des médias indépendants au plus fort tirage de la province. Chef de file de la presse indépendante régionale, il fait figure d'exception dans le paysage médiatique québécois.

En 2007, GRAFFICI a voulu mettre sur pied une nouvelle rubrique dans laquelle un ou une chef présenterait chaque mois une recette. Le défi ? Trouver une personne qui rendrait la cuisine accessible, avec une touche d'originalité, une méthode efficace et un bon goût de la Gaspésie. C'est alors que la rédactrice en chef du journal, Maïté Samuel-Leduc, convainc sa grand-mère, Mathilde Cotton, de diffuser dans le GRAFFICI une parcelle de son riche héritage culinaire au bénéfice d'autres générations de Gaspésiens.

Ainsi, depuis décembre 2007, la rubrique « Les Mathilderies » présente des recettes simples et délicieuses de cette remarquable cuisinière. Des capsules historiques de Michel Lambert, historien de la cuisine, enrichissent cette page depuis juin 2009, en expliquant le lien entre les recettes et l'histoire du Québec ou de la Gaspésie.

Grâce aux « Mathilderies », Mathilde Cotton est devenue une véritable icône du patrimoine et du savoir-faire culinaires en Gaspésie. Au fil des mois, après chaque sortie du GRAFFICI, leur popularité est constante : le lectorat transmet des commentaires, des témoignages et des variantes de recettes à Mathilde !

UN LIVRE : POURQUOI PAS ?

Porteur d'identité régionale, l'ouvrage que vous avez entre les mains comprend une sélection d'une vingtaine de recettes déjà publiées dans les pages du journal GRAFFICI et une quarantaine de nouvelles, auxquelles s'ajoutent des capsules de Michel Lambert et des photographies de Jacques Gratton.

André Lagacé, qui possède un intérêt marqué pour les recettes d'antan, a accepté avec enthousiasme de standardiser les recettes du livre. Après avoir été chef de restaurants réputés à Montréal – au Toqué! et au Newtown, pour ne nommer que ceux-là –, il est de retour dans sa Gaspésie natale, où il a choisi de s'établir avec sa famille. Consultant et enseignant en cuisine d'établissement, André Lagacé est aussi chef concessionnaire à la cafétéria du Cégep de Gaspé. Lui et Mathilde ont pris le temps de cuisiner ensemble, pour leur plus grand bonheur. Au menu de ce maillage intergénérationnel des plus savoureux se trouvait un mélange unique d'astuces, de doigté et de gourmandise !

Avec brio, le photographe professionnel Jacques Gratton a capté la complicité qui s'est installée entre eux. Reconnu pour la qualité et l'originalité de son travail, Jacques collabore au contenu visuel du GRAFFICI depuis plusieurs années. De concert avec lui, la directrice artistique et graphiste du livre et du journal, Marilou Levasseur, a rendu le livre des plus esthétiques et appétissants.

Enfin, l'Association Gaspésie Gourmande, complice de longue date du journal GRAFFICI, a contribué au projet en indiquant, dans les recettes, les ingrédients produits ou transformés localement par ses membres, pour favoriser leur utilisation. La liste des producteurs et des transformateurs visés se trouve en annexe.

Le présent ouvrage est donc l'œuvre de plusieurs passionnés qui ont fait équipe en croyant fermement en sa pertinence. Sa véritable raison d'être demeure toutefois Mathilde Cotton, sans qui il n'existerait pas. Mathilde, nous vous remercions d'avoir livré une parcelle de l'héritage culinaire de votre famille gaspésienne dans ce livre et, surtout, d'avoir investi si généreusement votre temps dans ce projet.

C'est avec un immense privilège et une grande fierté que nous publions ce patrimoine culinaire unique qui a traversé les époques, pour le plus grand plaisir des amoureux de la Gaspésie et de ses parfums.

Bonne lecture et, surtout, bonne cuisine !

Le Journal GRAFFICI, **éditeur**

Michel Lambert est l'auteur du livre *Histoire de la cuisine familiale du Québec. Volume 2 : La mer, ses régions et ses produits*, publié en 2006 aux Éditions Gid.

PHOTO DE MICHEL LAMBERT : JEAN-FRANÇOIS LAMBERT

UNE GRAND-MAMAN GOURMANDE

Je me joins à l'équipe du Journal GRAFFICI pour souligner la contribution exemplaire de Mathilde Cotton au patrimoine culinaire de la Gaspésie. Son expérience s'ajoute à celle de tous ceux qui ont pris le temps de sortir de leurs tiroirs les trésors culinaires de leur famille pour les transmettre aux gens de chez nous, afin de leur donner envie de cuisiner. Mathilde est un exemple à suivre parce qu'elle s'inspire à la fois des vieilles recettes de nos familles de pêcheurs et de celles venant de toutes les cultures culinaires de la Gaspésie (française, britannique, amérindienne et américaine), qu'elle ajoute à sa liste de recettes des plats qui viennent de partout dans le monde. Surtout, elle interprète toutes ces cuisines à sa façon à elle, ce qui prouve qu'elle est une cuisinière expérimentée et originale. On voit en effet le véritable talent créatif d'un cuisinier lorsqu'il peut partir d'une recette connue pour aller ailleurs, avec une nouvelle épice, un nouvel aliment. L'exemple de son pain avec une touche de gingembre illustre bien mon propos!

La Gaspésie est un pays culinaire qui mérite d'être plus connu auprès des Québécois et des touristes qui viennent le visiter. Je souhaite que cet héritage familial des Cotton soit partagé avec celui de toutes les familles, de Rivière-au-Renard à Sainte-Flavie, en passant par la Côte ou la Vallée, et surtout qu'on puisse y goûter dans les gîtes, les restaurants et les hôtels de la région, en toute saison.

Michel Lambert
Historien de la cuisine

À VOS CHAUDRONS !

Je me souviens d'une des premières fois où j'ai cuisiné avec ma mère. Les parfums d'une soupe qui mijote et d'un gâteau qui cuit dans le four flottaient dans la cuisine. J'avais quatre ans et j'apprenais à pétrir le pain. Ma mère est la meilleure cuisinière que j'aie connue. Elle prenait plaisir à essayer avec les siens de nouvelles recettes et diverses saveurs.

Puis, ça a été à mon tour de cuisiner pour mes trois enfants. Raymond, mon mari, avait toujours des recettes à me suggérer. Après quelque temps, il s'est même mis à cuisiner, fait rare pour un homme de son époque. Des années plus tard, lorsque l'été arrivait, c'est toute une bande de petits-enfants énergiques qui venait nous visiter à la maison et pour qui je prenais plaisir à cuisiner. Aujourd'hui, ce sont mes arrière-petits-enfants qui me demandent : « Est-ce que je peux goûter, grand-maman ? » Et ça me comble de bonheur.

Dans *Les Mathilderies*, je vous offre des recettes qui sont, pour la plupart, issues de mon patrimoine. Elles ont été actualisées, transformées et goûtées avec plaisir par des dizaines de petites et de grandes bouches. Ce livre est un outil : inspirez-vous-en à votre façon. Soyez gourmands, comme moi, pour avoir envie d'essayer et d'innover. C'est en cuisinant qu'on devient cuisinier !

Merci à mon mari, Raymond, qui goûte, apprécie et me conseille depuis 60 ans. Merci à ma mère et à ma grand-mère de m'avoir enseigné la cuisine. Merci à mes enfants, à mes petits-enfants et à mes arrière-petits-enfants de me donner envie de cuisiner. Merci, chers lecteurs, de permettre à ces recettes de rester vivantes.

Allez, à vos chaudrons !

NOTES

Mathilde utilise généralement de la farine blanche non blanchie ou un mélange de 2/3 de farine de blé et 1/3 de farine blanche. Par souci de concision, on écrit seulement « farine » dans le présent livre. Également, dans le respect du caractère traditionnel des recettes, les unités de mesure employées sont issues du système impérial. Enfin, les ingrédients produits ou transformés localement par les membres de l'Association Gaspésie Gourmande sont surlignés dans les recettes, pour favoriser leur utilisation. La liste des producteurs et des transformateurs visés se trouve en annexe, à la page 122. Un glossaire se trouve aussi en annexe, à la page 124. Dans les recettes, seuls les termes pouvant prêter à confusion y renvoient.

TABLES DE CONVERSION AU SYSTÈME MÉTRIQUE

LES DEGRÉS		LES VOLUMES		LES LONGUEURS		LES POIDS	
130 °F	55 °C	1/4 tasse	60 ml	1/8 po	0,3 cm	1 oz	28 g
200 °F	95 °C	1/3 tasse	80 ml	1/4 po	0,6 cm	2 oz	57 g
250 °F	120 °C	1/2 tasse	125 ml	1/2 po	1,3 cm	4 oz	113 g
300 °F	150 °C	2/3 tasse	160 ml	1 po	2,5 cm	5 oz	142 g
325 °F	160 °C	3/4 tasse	180 ml	2 po	5,1 cm	7 oz	198 g
350 °F	175 °C	1 tasse	250 ml	3 po	7,6 cm	10 oz	283 g
375 °F	190 °C	1 1/8 tasse	280 ml	5 po	12,7 cm	13 oz	369 g
400 °F	205 °C	1 1/4 tasse	310 ml	8 po	20,3 cm	28 oz	794 g
425 °F	220 °C	1 1/3 tasse	330 ml	9 po	22,9 cm	1/2 lb	227 g
450 °F	230 °C	1 1/2 tasse	375 ml	10 po	25,4 cm	1 lb	454 g
		1 3/4 tasse	430 ml	13 po	33,0 cm	1 1/2 lb	680 g
		2 tasses	500 ml			2 lb	907 g
		3 tasses	750 ml			2 1/2 lb	1,1 kg
		4 tasses	1 l			4 lb	1,8 kg
		5 tasses	1,3 l			5 lb	2,3 kg
		6 tasses	1,5 l				
		8 tasses	2 l				
		10 tasses	2,5 l				
		13 tasses	3,3 l				
		15 tasses	3,8 l				
		16 tasses	4 l				

Par souci de concision, seules les mesures mentionnées dans le présent ouvrage sont inscrites dans les tables de conversion, et la plupart d'entre elles ont été arrondies.

ENTRÉES ET
ACCOMPAGNEMENTS

CHAMPIGNONS FARCIS 12 portions

Ingrédients

12 gros champignons blancs

1 c. à soupe de beurre fondu

1 c. à thé de sel

1 c. à thé de poivre

2 c. à soupe de beurre

2 oignons verts[1] ou petits oignons hachés

1 c. à soupe de farine

1/2 tasse de crème 15 %

3 c. à soupe de persil haché, frais de préférence

2 c. à soupe de parmesan ou d'emmental râpé

Préparation

Préchauffer le four à 325 °F.

Retirer les pieds des champignons et les réserver.

Déposer les chapeaux des champignons dans un plat beurré, la partie creuse vers le haut. Les enduire de beurre fondu puis saler et poivrer.

Hacher les pieds des champignons et les envelopper dans un essuie-tout. Presser pour en extraire l'eau.

Dans une poêle, faire fondre 2 c. à soupe de beurre. Ajouter les pieds hachés et les oignons verts puis faire cuire de 4 à 5 minutes. Ajouter la farine, puis faire cuire 1 minute.

Retirer du feu et ajouter la crème graduellement. Faire cuire à feu doux de 2 à 3 minutes. Ajouter le persil et mélanger.

Farcir les champignons avec le mélange. Saupoudrer de fromage râpé. Mettre au four 15 minutes.

1. Voir le glossaire à la page 124.

CRÈME D'ASPERGES ET D'ÉPINARDS 8 portions

Ingrédients

1 boîte d'asperges (284 ml)
ou 1 lb d'asperges fraîches

2 oignons hachés

2 pommes de terre en morceaux

5 tasses de bouillon de poulet

3 c. à thé de beurre

3 c. à thé de farine

1/2 tasse de riz[1]

10 oz (environ 300 g) d'épinards

2 tasses de lait

1/2 tasse de crème 15 %

Préparation

Dans une casserole avec une marguerite ou dans une marmite à vapeur, une fois l'eau bouillante, faire cuire les asperges fraîches 5 minutes. Si vous utilisez des asperges en conserve, les égoutter et les réserver.

Mettre les oignons et les pommes de terre dans une casserole avec le bouillon. Ajouter le beurre. Incorporer la farine graduellement, puis le riz. Couvrir et faire cuire 20 minutes à feu moyen en remuant de temps en temps.

Ajouter les épinards, les asperges, le lait et la crème. Faire cuire 20 minutes à feu doux. Réduire en purée au robot culinaire ou au mélangeur.

Vous pouvez garder les têtes d'asperges pour les déposer sur la crème.

1. Éviter d'utiliser du riz à cuisson rapide.

CRÈME DE COURGETTES 8 portions

Ingrédients

6 courgettes

2 c. à thé de sel

3 c. à soupe de beurre

2 oignons tranchés

2 gousses d'ail hachées

4 tasses de bouillon de poulet

1 grosse tomate pelée et coupée

1 c. à thé de thym, frais de préférence

1/2 c. à thé de sucre blanc

1/2 c. à thé d'origan, frais de préférence

1/2 c. à thé de basilic, frais de préférence

1/4 c. à thé de muscade

Poivre, au goût

1/2 tasse de crème 15 %

Préparation

Vider les courgettes de leurs graines. Les couper finement, les saler et les faire dégorger 30 minutes. Les éponger pour enlever l'eau.

Dans une casserole, faire fondre le beurre. Ajouter les oignons, les courgettes et l'ail. Faire cuire 10 minutes à feu doux.

Ajouter le bouillon, la tomate et les assaisonnements. Réduire en purée au robot culinaire ou au mélangeur.

Remettre dans la casserole et verser la crème. Réchauffer 5 minutes à feu doux (la crème ne doit pas bouillir).

Si la courgette est plus grosse, pelez-la à l'économe pour enlever la pelure trop dure.

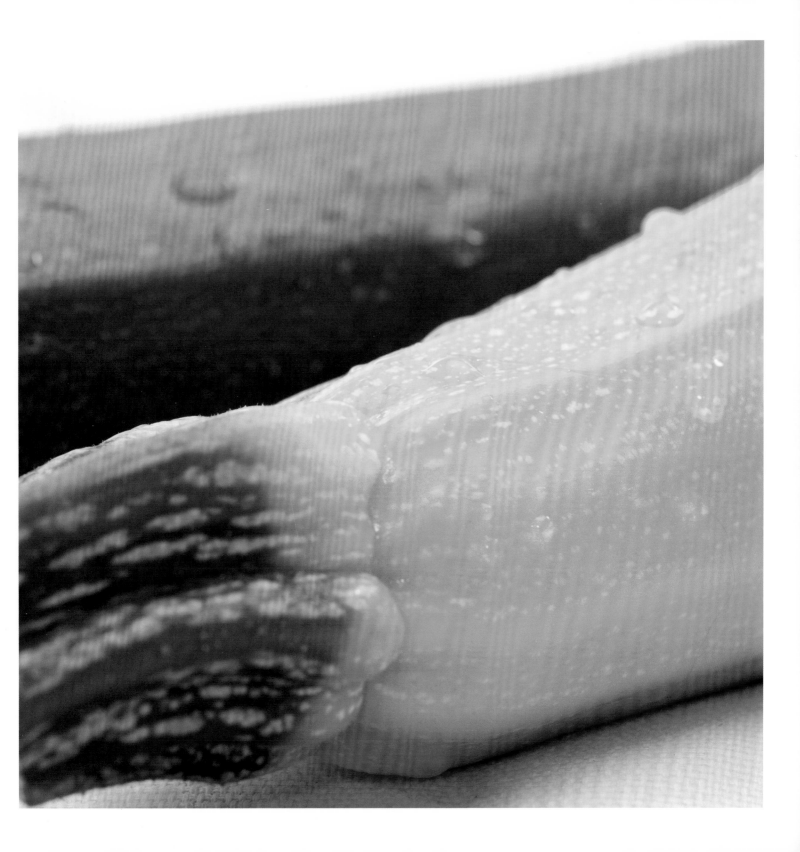

SOUPE MAISON 12 portions

Ingrédients

1 1/2 lb de jarrets ou de côtes de bœuf

15 tasses d'eau froide

2 oignons émincés

2 carottes coupées en rondelles

1/2 navet haché finement ou râpé

1 blanc de poireau coupé finement

4 tasses de tomates en dés

3/4 tasse de riz

2 branches de céleri avec feuilles, coupées très finement

1/2 tasse de vermicelles de riz

Fines herbes, fraîches de préférence (origan, basilic, thym ou autre)

Préparation

Dans une casserole, mettre les jarrets ou les côtes de bœuf dans l'eau avec les oignons, les carottes, le navet et le poireau. Couvrir et laisser mijoter 1 heure 30 minutes à feu doux.

Ajouter les tomates et laisser mijoter 20 minutes.

Incorporer le riz, le céleri et les vermicelles de riz. Assaisonner de fines herbes. Laisser mijoter 15 minutes à feu doux.

Vous pouvez remplacer les tomates par du chou coupé finement.

Le secret d'une bonne soupe, c'est de la laisser mijoter lentement.

SOUPE À L'OIGNON 6 portions

Ingrédients

3 c. à soupe de beurre

5 gros oignons tranchés finement

1 c. à soupe de farine

8 tasses de bouillon de bœuf

Poivre, au goût

6 tranches de pain grillé

Parmesan, au goût

1 c. à soupe de cognac

Préparation

Préchauffer le four à 450 °F.

Dans une casserole, faire fondre le beurre, ajouter les oignons et les faire cuire à feu doux, jusqu'à ce qu'ils soient tendres. Incorporer la farine et mélanger. Ajouter le bouillon, poivrer et laisser mijoter 15 minutes à couvert.

Verser la soupe dans les bols. Déposer une tranche de pain grillé sur chaque bol. Râper du parmesan sur le pain et faire gratiner au four 10 minutes. Verser le cognac sur le pain juste avant de servir.

Les dessous de la soupe à l'oignon

Dans les années 1960, la soupe à l'oignon était très en vogue dans les restaurants du Québec. Ce phénomène s'explique par l'engouement généralisé pour la cuisine française, popularisée par des magazines, des émissions de télévision et les restaurants qui ouvraient un peu partout chez nous. Mais peu de gens savaient que la soupe à l'oignon était, en fait, une soupe de pauvres que les manœuvres et les travailleurs de nuit mangeaient, au petit matin, aux Halles, le grand marché de Paris. Peu de gens faisaient le lien avec notre vieille soupe à l'oignon, plus souvent appelée la *soupe à l'ivrogne*, que les femmes du Québec donnaient à leurs hommes qui revenaient d'une cuite! L'oignon a perdu, depuis, sa réputation d'enfant pauvre de la cuisine et on le considère aujourd'hui comme un aliment qui mérite l'accompagnement des grands fromages du monde comme le parmesan, le gruyère ou le cheddar.

SOUPE DE POULET AU RIZ 6 portions

Ingrédients

6 tasses d'eau froide

2 pilons de poulet

1 oignon coupé en petits morceaux

3/4 c. à thé de sel

2 carottes râpées

1 branche de céleri coupée très finement

2 feuilles de laurier

1 tasse de riz à grain long[1]

Poivre, au goût

1. Éviter d'utiliser du riz à cuisson rapide.

Préparation

Verser l'eau dans une casserole. Ajouter le poulet, l'oignon et le sel. Couvrir et laisser mijoter 2 heures à feu doux.

Retirer les pilons et les désosser. Remettre uniquement le poulet en morceaux dans la soupe.

Ajouter les carottes, le céleri et le laurier. Laisser mijoter 30 minutes.

Incorporer le riz. Laisser mijoter 10 minutes. Retirer les feuilles de laurier et poivrer.

Mettez seulement ¾ tasse de riz pour une soupe plus claire.

« C'est une bonne soupe de malade », disait ma mère ! Pour les journées où l'on est enrhumé ou celles où l'on a envie de se faire réconforter.

Des oiseaux dans la soupe

La soupe faite avec un oiseau remonte à la nuit des temps et appartient à toutes nos cultures fondatrices, aussi bien amérindiennes qu'européennes. La poule est devenue populaire en Europe lorsque l'agriculture s'est installée partout après que l'on a bûché toutes les forêts; elle a remplacé le gibier qui venait de disparaître avec elles. On consommait les poulardes et les poulets rôtis, alors que les vieilles poules et le coq étaient plutôt bouillis et transformés en soupes ou en ragoûts.

Les premiers colons de Québec et de Montréal avaient tous leur poulailler derrière la maison, même en ville. On faisait donc déjà la soupe au riz et au poulet, à la fin du XVIIe siècle, aussi bien à Québec, à Montréal qu'à Barachois, en Gaspésie. C'était même la principale soupe que les religieuses donnaient à leurs malades dans les hôpitaux. On la faisait aussi avec les restes d'un poulet rôti.

TARTE À L'OIGNON 8 portions

Ingrédients

4 gros oignons tranchés finement

3/4 tasse de bouillon de poulet

2 c. à soupe de beurre

2 c. à soupe de farine

1/2 tasse de crème

1 pincée de sel et de poivre

1/4 c. à thé de muscade

1/4 c. à thé de poivre de Cayenne

1/4 tasse de gruyère râpé

1/4 tasse de parmesan râpé

1 abaisse à quiche[1] de 9 po

2 c. à soupe de persil haché, frais de préférence

1/4 tasse de parmesan râpé

1/2 c. à thé de paprika

1 c. à soupe de beurre

Préparation

Dans une casserole, faire cuire les oignons à feu moyen pendant 10 minutes dans le bouillon, à couvert. Les égoutter et les disposer sur du papier absorbant pour qu'ils sèchent. Conserver le bouillon.

Béchamel

Dans une autre casserole, faire fondre 2 c. à soupe de beurre et ajouter la farine en mélangeant. Ajouter le bouillon, la crème, le sel, le poivre, la muscade et le poivre de Cayenne, puis le gruyère et 1/4 tasse de parmesan. Porter à ébullition en remuant constamment.

Garniture

Préchauffer le four à 375 °F.

Déposer l'abaisse dans une assiette à tarte de 9 po de diamètre.

Étendre le persil sur la pâte puis déposer les oignons par-dessus. Verser la béchamel sur les oignons. Ajouter le reste du parmesan et le paprika. Parsemer de noisettes de beurre.

Mettre au four sur la grille du bas de 20 à 25 minutes.

1. Voir la recette à la page 88.

RIZ AUX CREVETTES 5 portions

Ingrédients

1 poivron rouge
1 1/2 tasse de riz à grain long ou basmati
3 tasses d'eau froide
1 c. à thé de sel
1/4 tasse de beurre
1 gros poivron vert en dés
2 tasses de champignons tranchés
4 gouttes de tabasco
Sel et poivre, au goût
1 c. à soupe de beurre
1 1/2 lb de crevettes cuites décortiquées
Quartiers de citron

Préparation

Préchauffer le four à 425 °F.

Laver le poivron rouge et le mettre entier au four sur une plaque à biscuits, sur la grille du haut. Le faire cuire 40 minutes en le tournant pour qu'il soit grillé de chaque côté. Le peler et en retirer les graines avant de le couper en fines lanières.

Rincer le riz à l'eau froide.

Dans une casserole, ajouter le sel et le riz à l'eau et porter à ébullition à feu vif. Couvrir et laisser mijoter à feu doux 20 minutes sans brasser. Retirer du feu et laisser reposer quelques minutes

Dans une poêle, faire fondre 1/4 tasse de beurre. Y ajouter le poivron vert et les champignons. Faire cuire 5 minutes à feu doux. Incorporer le poivron rouge, le tabasco et le riz. Saler, poivrer et remuer doucement.

Ajouter 1 c. à soupe de beurre sur le dessus du mélange. Faire cuire 10 minutes à feu doux. Incorporer les crevettes, mélanger et servir avec des quartiers de citron.

Si vous voulez vous faire une réserve de poivrons grillés, faites-en griller plusieurs au four, coupez-les en fines lanières et déposez-les dans un pot en verre. Arrosez d'huile d'olive et réfrigérez. Ils se conservent quelques semaines au frais.

RIZ OU MILLET AUX LÉGUMES ET AUX AMANDES 4 portions

Ingrédients

1 tasse d'amandes blanchies effilées

1 tasse de riz ou de millet

Sel, au goût

4 c. à soupe de beurre ou d'huile

1 gousse d'ail hachée finement

1 oignon tranché finement

1 poivron jaune tranché finement

1 poivron vert tranché finement

1 branche de céleri tranchée finement

1 blanc de poireau tranché finement

1/2 tasse de persil frais haché

3 c. à soupe de basilic frais haché

Préparation

Dans une poêle non huilée, faire griller les amandes et les réserver.

Dans une casserole, faire cuire le riz ou le millet selon les indications sur l'emballage, avec un peu de sel et 1 c. à soupe de beurre ou d'huile.

Dans une seconde poêle, faire fondre 3 c. à soupe de beurre ou faire chauffer l'huile. Faire revenir l'ail et l'oignon. Ajouter les légumes, le persil et le basilic. Faire cuire 10 minutes à feu doux.

Mélanger les légumes, le riz ou le millet et les amandes. Servir chaud.

Ce plat accompagne très bien un poulet ou un plat de saumon.

VOL-AU-VENT AUX CREVETTES ET AUX CHAMPIGNONS 8 portions

Ingrédients

1/4 tasse de beurre

1/2 tasse de céleri haché

5 oz de champignons frais tranchés

1 c. à soupe d'oignon vert[1] haché

1/4 tasse de farine

Sel et poivre, au goût

1/4 c. à thé de poivre de Cayenne

1 cube de bouillon de poulet

1/4 tasse d'eau bouillante

1 1/2 tasse de crème 15 %

2 c. à soupe de poivron vert haché

1 1/2 tasse de crevettes nordiques cuites décortiquées

2 c. à soupe de vin blanc

8 vol-au-vent

Préparation

Faire chauffer le beurre dans une casserole épaisse. Ajouter le céleri, les champignons et l'oignon vert puis faire cuire à feu doux 5 minutes. Saupoudrer de farine, de sel et de poivre ainsi que de poivre de Cayenne, puis mélanger le tout. Retirer du feu.

Dans une seconde casserole, faire dissoudre le cube de bouillon dans l'eau. Verser le bouillon dans la première casserole. Ajouter la crème et faire cuire à feu doux jusqu'à ce que la sauce épaississe. Incorporer le poivron, les crevettes et le vin (attention de ne pas faire cuire les crevettes; il faut seulement les réchauffer).

Garnir les vol-au-vent et servir.

Si vous n'avez pas de vol-au-vent, vous pouvez garnir des tranches de pain grillé. Pour les préparer, enlevez la croûte et déposez la mie dans des moules à muffins pour former des coupes. Faites-les cuire au four à 250 °F durant 15 minutes.

1. Voir le glossaire à la page 124.

CASSEROLE D'ORGE GRATINÉE 4 portions

Ingrédients

1/2 tasse d'orge mondé[1]

1 tasse d'eau froide

2 c. à soupe d'huile d'olive

2 oignons verts[2] émincés

1 gousse d'ail hachée finement

3/4 tasse de champignons tranchés

1 1/2 tasse de tomates fraîches en dés
ou en conserve

1 tasse de lentilles cuites

1 c. à soupe d'épices mélangées (fenouil,
coriandre et piment)

1/4 c. à soupe d'origan, frais de préférence

1/4 c. à soupe de basilic, frais de préférence

Sel et poivre, au goût

1/2 tasse de persil haché, frais de préférence

3/4 tasse de cheddar fort râpé

1/4 tasse d'amandes effilées ou de noix
de Grenoble hachées

Préparation

Rincer l'orge puis la faire tremper 1 heure dans l'eau froide.

Dans une casserole, faire cuire l'orge à feu doux de 20 à
30 minutes dans l'eau de trempage, à couvert.

Préchauffer le four à 350 ºF.

Dans une poêle, faire revenir l'oignon vert et l'ail dans l'huile.
Ajouter les champignons, les tomates, les lentilles, les épices
et les fines herbes (sauf le persil). Faire mijoter 20 minutes à
feu doux.

Égoutter l'orge dans une passoire et la mettre dans un plat
allant au four. Ajouter le persil et mélanger avec la sauce.

Sur le dessus, parsemer de fromage et d'amandes ou de noix.

Faire gratiner au four 10 minutes. Servir chaud.

1. Le terme *orge* est féminin, mais prend le genre masculin dans
   « orge mondé » et « orge perlé ».
2. Voir le glossaire à la page 124.

FÈVES AU LARD À L'ÉRABLE 8 portions

Ingrédients

1 lb de fèves[1]

1/4 c. à thé de bicarbonate de soude

4 tasses d'eau froide

Poivre, au goût

1 c. à thé de moutarde sèche

4 oz de lard (porc salé tranché) haché finement

3 oignons hachés finement

3/4 tasse de sirop d'érable

1/4 tasse de cassonade

Préparation

Faire tremper les fèves 2 heures avec le bicarbonate de soude dans l'eau froide. Elles doivent être recouvertes d'environ 1 po de liquide. Ensuite, les égoutter et les rincer à l'eau froide.

Préchauffer le four à 250 °F.

Dans un chaudron en fonte ou une cocotte, couvrir les fèves d'environ 1/2 po d'eau et les faire bouillir 15 minutes en enlevant l'écume. Ajouter le reste des ingrédients. Bien mélanger et couvrir.

Faire cuire au four 4 heures et ajouter de l'eau en cours de cuisson si les fèves s'assèchent. Environ 15 minutes avant la fin de la cuisson, enlever le couvercle pour les faire brunir.

1. Voir le glossaire à la page 124.

Une coutume abénaquise

Les haricots sont incontestablement originaires d'Amérique centrale et seraient arrivés au Québec vers le XIVe siècle. Les Abénaquis de la Nouvelle-Angleterre avaient l'habitude de faire cuire leurs haricots dans un pot de céramique avec de l'eau et de la graisse de gibier. Le printemps, ils remplaçaient l'eau par de la sève d'érable. D'autre part, en Europe, on faisait bouillir les fèves et les pois avec un morceau de lard ou de baleine salée. En arrivant au pays, on a appris à faire cuire les haricots, qu'on a appelés fèves au Québec et fayots en Acadie, à la manière amérindienne, dans un plat de terre cuite, pendant longtemps, à petit feu, mais aussi à la manière européenne, avec un morceau de lard, comme on faisait pour cuisiner les fèves (gourganes) et les pois séchés. Ce sont les cuisiniers des bateaux qui ramenaient la mélasse des Barbades à Boston qui ont eu l'idée de remplacer l'eau d'érable des Abénaquis par de la mélasse. La recette de Mathilde est plus proche de la recette originale.

PAIN AU SAUMON 6 portions

Ingrédients

1 lb de saumon frais déjà cuit
ou 2 boîtes de saumon de 7 oz

1 tasse de fromage cottage

2 œufs battus

1 tasse de carottes râpées

1 oignon râpé

1 tasse de chapelure[1]

1 c. à thé de poudre de chili

1 c. à thé de cumin

1/4 c. à thé de beurre

Préparation

Préchauffer le four à 350 °F. Beurrer un plat en pyrex de 5 x 9 po.

Émietter le saumon avec une fourchette.

Dans un bol, mélanger tous les ingrédients jusqu'à ce qu'ils forment une pâte.

Mettre la préparation dans le plat en pyrex. Bien étendre avec une cuillère.

Faire cuire 50 minutes.

1. Voir la recette de chapelure maison à la page 76.

Faire honneur au roi de la Gaspésie

Si la morue a toujours été la reine de la cuisine gaspésienne, c'est le saumon qui en était le roi! Il était, il y a encore quelques années, le trophée royal des grandes rivières de la région, malheureusement réservé aux plus riches d'entre nous. Heureusement, les choses ont changé et le roi nous est aujourd'hui accessible. Le faire cuire entier au four, sur le barbecue ou dans une poissonnière demeure le meilleur moyen de le déguster. Mais la cuisine de ses restes en croquettes, en boules, en pâté et en pain, comme le propose Mathilde, est une façon toute aussi délicieuse de l'apprêter. Les assaisonnements mexicains qu'elle lui ajoute lui donnent une allure québécoise bien contemporaine où le Québec devient encore plus multiethnique que ne l'était la Gaspésie avec ses 13 ethnies fondatrices, au milieu du XIXe siècle!

QUICHE LORRAINE FAÇON MATHILDE 6 portions

Ingrédients

4 tranches de bacon

2 oignons tranchés

1 c. à soupe d'huile

4 œufs

1 tasse de crème 35 %

Sel et poivre, au goût

1 abaisse à quiche[1] de 9 po

2 c. à soupe de moutarde de Dijon

2 c. à soupe de ricotta écrasée

3 oz (environ 83 g) de mozzarella
en tranches

Préparation

Préchauffer le four à 375 °F.

Faire cuire le bacon. Émietter et réserver.

Dans une poêle, faire revenir l'oignon dans l'huile et réserver.

Dans un bol, battre les œufs avec la crème. Saler, poivrer
et réserver.

Déposer l'abaisse dans un moule à quiche beurré et la
badigeonner de moutarde. Étendre la ricotta puis l'oignon
sur l'abaisse et verser les œufs battus. Recouvrir le tout de
mozzarella et faire cuire au four 30 minutes. Ajouter le bacon,
remettre au four 10 minutes ou jusqu'à ce que la croûte soit
dorée et que la garniture soit prise et gonflée. Servir.

1. Voir la recette à la page 88.

SALADE DE BOURGOTS ET FINES HERBES À L'HUILE DE CITRON 4 portions

Par André Lagacé, chef cuisinier

Ingrédients

12 bourgots cuits ou en saumure

1 botte de persil italien

Quelques feuilles de coriandre

1 botte de ciboulette

1 bouquet de roquette

2 tomates en juliennes

15 salicornes de mer[1]

Quelques pétales de fleurs comestibles

Huile de citron

Jus de citron

Sel et poivre du moulin

Préparation

Émincer les bourgots. Ciseler le persil et la coriandre. Couper la ciboulette en bâtonnets

Mélanger à la roquette, aux tomates, aux salicornes de mer et aux pétales.

Ajouter un filet d'huile et quelques gouttes de jus de citron. Saler, poivrer et servir.

CUISSON DES BOURGOTS

Ingrédients

2 lb de bourgots

3 tasses d'eau

1/4 tasse de sel de mer

Préparation

Faire dégorger les bourgots dans l'eau froide et le sel toute une nuit. Bien les nettoyer à l'eau froide et les déposer dans une casserole. Avec une fourchette, retirer chaque bourgot de sa coquille. Tirer sa queue et sa tête jusqu'à ce que la partie brune se détache. Enlever la coquille du bout du bourgot. Recouvrir d'eau et faire bouillir à couvert 45 minutes avec du sel.

1. Communément appelées asperges de mer, les salicornes ont un goût très fin, légèrement salé. On peut les trouver sur les berges en Gaspésie.

Cette recette du chef André Lagacé a été conçue spécialement pour « Les Mathilderies » !

PAIN DE MÉNAGE DE MATHILDE 4 pains

Ingrédients

2 c. à soupe de levure sèche

5 tasses d'eau tiède

2 c. à thé de sucre blanc

1 c. à thé de gingembre moulu

1 pomme de terre bien cuite

1/2 tasse de sucre blanc

4 c. à thé de sel

1/2 tasse de shortening

13 tasses de farine

Il est important de bien travailler la farine au tout début afin que l'air s'infiltre dans le mélange. Prenez seulement un peu de farine à la fois, sinon la pâte « étouffera » et sera plus dure.

Le pain requiert beaucoup de patience, mais procure tellement de plaisir ! À faire avec vos enfants et petits-enfants.

Préparation

Dissoudre la levure dans 1 tasse d'eau avec 2 c. à thé de sucre et le gingembre. Laisser reposer 10 minutes (A).

Dans un bol, réduire la pomme de terre en purée, ajouter 1/2 tasse de sucre, le sel et le shortening. Mélanger.

Mettre la farine dans un autre bol et y creuser un puits au centre. Ajouter la levure et le mélange de pomme de terre. Verser 4 tasses d'eau. Bien mélanger avec les mains. Ajouter de la farine si nécessaire; il faut que la pâte se tienne bien et ne colle plus aux doigts.

Pétrir la pâte (la plier et la travailler) jusqu'à ce qu'elle soit ferme et élastique, et la déposer dans un bol beurré. Couvrir d'un linge propre et laisser lever 2 heures (B).

Écraser la pâte en la pétrissant légèrement. Séparer en quatre morceaux pour former des boules. Laisser lever 30 minutes.

Séparer chaque boule en deux parties pour les mettre dans les moules à pain en reformant des boules. En mettre deux par moule. Couvrir d'un linge propre (ne pas utiliser de pellicule plastique). Laisser lever jusqu'à ce qu'elles atteignent le double du volume initial, soit environ 2 heures 30 minutes (C).

Préchauffer le four à 400 °F.

Faire cuire 30 minutes sur la grille du bas.

Le pain gaspésien

L e pain de Mathilde est un bel exemple de la vraie cuisine gaspésienne issue du mélange de ses cultures fondatrices. La recette de base se fait comme au XIXe siècle, au moment où les cultivateurs de Mont-Louis, de Mont-Saint-Pierre et de Manche-d'Épée allaient faire moudre leur blé, en bateau, au moulin de Louis Lemieux, à L'Anse-Pleureuse. C'était la coutume, sur la Côte, sur la Pointe et dans la Baie-des-Chaleurs, d'aller faire moudre ses céréales deux fois par année : le printemps, à la fonte des neiges, avant de commencer à pêcher, et l'automne, après la pêche à la morue verte. L'ajout de pommes de terre dans le pain est un apport irlandais; on remplaçait même la levure par l'*eau de patates* qu'on faisait fermenter sur le dessus du réchaud. Le gingembre est un habitué de la pâtisserie anglaise. Le résultat est typiquement gaspésien!

A

B

C

PLATS
PRINCIPAUX

BOUILLI DE LÉGUMES SALÉS ET SA SOUPE À L'ORGE 8 portions

Ingrédients

Soupe à l'orge

2 1/2 lb de porc salé (roulé)

1 1/2 lb de palette de bœuf

16 tasses d'eau fraîche

2 tasses d'orge

1 gros oignon haché finement

1/4 tasse de carottes hachées finement

1/2 tasse de céleri haché

1/4 tasse de navet haché finement

2 feuilles de laurier

Légumes

8 betteraves moyennes

1 c. à thé d'huile

10 carottes entières

1 gros navet coupé en deux
et recoupé en tranches

3 oignons pelés (faire une incision
sur le dessus pour éviter qu'ils éclatent)

4 épis de maïs tranchés en deux

1 chou moyen coupé en quartiers

8 pommes de terre grelots

4 bouquets d'environ
10 haricots verts et jaunes

Poivre, au goût

Préparation

Soupe à l'orge

Pour dessaler le porc, le recouvrir d'eau froide, le faire bouillir puis le laisser mijoter à couvert 45 minutes à feu doux. Jeter l'eau.

Dans la partie du bas d'une marmite à vapeur, déposer le porc dessalé et le bœuf puis verser l'eau. Ajouter l'orge, les légumes et le laurier. Porter à ébullition puis laisser mijoter à couvert 30 minutes à feu moyen.

Légumes

Brosser les betteraves sans les peler et les faire bouillir dans l'eau et l'huile à couvert pendant 1 heure 30 minutes à feu moyen.

Dans la partie du haut de la marmite à vapeur, déposer les carottes et le navet. Couvrir et faire cuire 15 minutes, au-dessus de la soupe (qui a déjà cuit 30 minutes). Ajouter ensuite les oignons, le maïs, le chou et les pommes de terre, et faire cuire 20 minutes. Introduire les haricots et faire cuire 5 minutes. Poivrer.

Dans un plat de service, disposer la viande, les légumes vapeur et les betteraves préalablement pelées. Servir la soupe suivie du bouilli.

Pour un bouilli express, dessaler le porc, le mettre dans une cocotte avec 8 tasses d'eau. Porter à ébullition et y déposer les légumes. Faire cuire à couvert pendant 45 minutes à feu doux et servir.

Un mets multiculturel

Le bouilli de légumes est en fait une recette commune à tous les pays européens. On y met beaucoup de porc ou de bœuf salé comme au Québec, et plus souvent du bœuf, du poulet, du veau, du porc et de l'agneau avec des carottes, du chou, des navets et, selon les pays, des légumes complémentaires comme des pois secs ou chiches, des haricots, des feuilles vertes, etc. La version de Mathilde est de tradition québécoise pure laine avec son porc salé, ses pommes de terre nouvelles, ses haricots jaunes ou verts et ses maïs en épis. Les anglophones gaspésiens remplacent souvent le porc salé par du bœuf salé (*corned beef*) et ajoutent les betteraves dans le bouilli plutôt que de les servir en accompagnement, comme le propose Mathilde. Ils ne mettent pas non plus de haricots ni de maïs dans leur *dinner*, comme en Nouvelle-Angleterre. Les deux traditions sont aussi bonnes!

ROSBIF ET PURÉE DE POMMES DE TERRE DIJON 5 portions

Ingrédients

4 lb de surlonge de bœuf

2 gros oignons en rondelles

2 carottes en rondelles

2 branches de céleri tranchées finement

Beurre

6 pommes de terre moyennes coupées en quartiers

3 c. à soupe de beurre

1/2 tasse de lait

1 c. à soupe de moutarde de Dijon

Sel et poivre, au goût

1 tasse de vin rouge

2 tasses de bouillon de bœuf

2 c. à thé de fécule de maïs

Pour une purée de pommes de terre veloutée, vous pouvez remplacer la moutarde de Dijon par 125 g (environ 4 oz) de fromage feta ou de chèvre.

On peut ajouter à la sauce des champignons tranchés ou ronds s'ils sont petits.

Préparation

Préchauffer le four à 400 °F.

Déposer le bœuf dans une rôtissoire (sur la grille). Piquer les oignons sur la viande à l'aide de cure-dents. Superposer les carottes et le céleri sur les oignons à l'aide de cure-dents. Faire cuire 10 minutes.

Baisser le four à 300 °F et poursuivre la cuisson durant 50 minutes. Sortir le rosbif du four, retirer les cure-dents et déposer les légumes dans le fond de la rôtissoire. Enrober le rosbif de beurre et le remettre au four 10 minutes ou jusqu'à ce que la température de la viande atteigne 130 °F (pour une viande saignante). Pour vérifier la température, utiliser un thermomètre à viande.

Sortir le rosbif de la rôtissoire, le déposer sur une planche à découper et le laisser reposer 10 minutes.

Pommes de terre

Dans une casserole, faire cuire les pommes de terre dans l'eau bouillante jusqu'à ce que la pointe d'un couteau s'y enfonce facilement. Les égoutter et les réduire en purée. Incorporer le beurre, le lait et la moutarde. Saler, poivrer et bien mélanger pour obtenir une purée onctueuse.

Sauce

Enlever la grille de la rôtissoire. À feu très doux, faire chauffer les légumes sur la cuisinière. Ajouter le vin et le bouillon. Dans un petit bol, mélanger la fécule de maïs avec un peu d'eau et l'ajouter à la sauce. Faire chauffer 5 minutes à feu doux.

Trancher le rosbif et servir avec la sauce et la purée de pommes de terre.

JAMBON À LA BIÈRE 8 portions

Ingrédients

1 jambon (épaule) de 4 à 5 lb

1 c. à soupe de beurre ou d'huile d'olive

1 gousse d'ail hachée

1 oignon haché

Environ 1 1/3 tasse (1 bouteille de 341 ml)
de bière noire ou rousse

1/3 tasse de sirop d'érable

3 c. à soupe de moutarde de Dijon

4 clous de girofle

1 c. à thé de graines de coriandre

Poivre, au goût

1/2 tasse de sirop d'érable

Préparation

Dans une casserole, couvrir le jambon d'eau froide et amener à ébullition. Le faire cuire à couvert environ 1 heure 30 minutes à feu doux.

Préchauffer le four à 250 ºF.

Dans une poêle, faire fondre le beurre ou faire chauffer l'huile et y faire revenir l'ail et l'oignon quelques minutes.

Dans un bol, mélanger la bière, 1/3 tasse de sirop d'érable, la moutarde, les clous de girofle, la coriandre et le poivre.

Mettre le jambon dans un plat allant au four (une rôtissoire, par exemple). Disposer les oignons et l'ail sur le jambon et y verser le mélange de bière.

Couvrir le jambon de papier d'aluminium ou d'un couvercle et faire cuire au four 30 minutes.

Sortir le jambon du four, le découvrir et y verser 1/2 tasse de sirop d'érable. Remettre au four 15 minutes.

Trancher le jambon. Servir chaud avec des pommes de terre au four ou froid en sandwich.

CHOUCROUTE À LA BIÈRE 10 portions

Ingrédients

3 tranches de bacon

6 tasses (2 pots de 750 ml) de choucroute Tapp

4 pommes de terre coupées en gros morceaux

3 carottes coupées en gros morceaux

1 lb de jambon coupé en 4 morceaux

8 saucisses merguez

6 saucisses miel et ail

12 saucisses de 2 autres sortes, au choix

Environ 2 2/3 tasses (2 bouteilles de 341 ml) de bière blonde

Poivre du moulin, au goût

Préparation

Faire cuire le bacon dans une cocotte puis l'enlever. Retirer un peu de gras de la cocotte. Couper le bacon en morceaux lorsqu'il est refroidi.

Rincer la choucroute à l'eau froide puis la mettre dans la cocotte avec le gras de bacon. Ajouter les pommes de terre, les carottes, le jambon, le bacon, les saucisses entières et la bière. Couvrir et faire mijoter 45 minutes à feu doux.

Déposer dans un plat de service et poivrer. Servir chaud.

Profitez de l'occasion pour utiliser vos saucisses maison d'orignal ou de chevreuil* et pour déguster des bières des microbrasseries gaspésiennes.

* Voir le glossaire à la page 124.

PÂTÉ AU POULET OU À LA DINDE 2 pâtés de 6 portions

Ingrédients

Cuisson du poulet (ou de la dinde)

Poulet (ou dinde) de 4 lb

2 oignons coupés en deux

2 carottes entières

2 branches de céleri coupées en deux

3 feuilles de laurier

3 c. à soupe de persil haché, frais de préférence

1/4 c. à thé de thym, frais de préférence

1/4 c. à thé de sauge, fraîche de préférence

2 gousses d'ail hachées

Sel et poivre, au goût

Pâté

2 pommes de terre moyennes en petits cubes

2 carottes en petits cubes

1 branche de céleri en petits cubes

2 oignons en petits cubes

2 gousses d'ail hachées finement

2 tasses d'eau

2 tasses de gélatine de poulet

3 ou 4 tasses de poulet (ou de dinde) en gros morceaux

1/2 c. à thé de sel

1/2 c. à thé de poivre

1/2 c. à thé d'origan, frais de préférence

1/4 c. à thé de thym, frais de préférence

3/4 c. à thé de sauge, fraîche de préférence

4 abaisses à pâté[1] de 9 po

Préparation

Préchauffer le four à 325 °F.

Enlever les abats puis nettoyer l'intérieur du poulet.

Placer le poulet dans un plat allant au four. Insérer, à l'intérieur, les oignons, les carottes, le céleri, les fines herbes, l'ail, le sel et le poivre. Faire cuire 1 heure.

Verser le jus de cuisson dans un bol. Le laisser refroidir et le dégraisser. Conserver la gélatine.

Pâté

Préchauffer le four à 400 °F.

Mettre les légumes dans une casserole, y ajouter l'eau et la gélatine. Faire cuire 20 minutes à feu doux. Ajouter les morceaux de poulet et les assaisonnements à la fin de la cuisson des légumes.

Déposer deux abaisses dans des assiettes à tarte profondes de 9 po de diamètre et y verser le mélange. Enlever les feuilles de laurier. Couvrir avec les deux autres abaisses préalablement incisées au centre.

Faire cuire au four sur la grille du bas environ 35 minutes ou jusqu'à ce que les pâtés soit bien dorés.

1. Voir la recette à la page 88.

PÂTÉ AUX TROIS VIANDES 2 pâtés de 6 portions

Ingrédients

1 lb de porc en cubes

1 lb de bœuf en cubes

1 lb de veau en cubes

3 tasses de bouillon de bœuf

3 pommes de terre coupées en cubes

2 oignons hachés finement

1 c. à thé de persil séché

1 c. à thé de basilic séché

Sel et poivre, au goût

4 abaisses à pâté[1]

Préparation

Préchauffer le four à 325 °F.

Dans une casserole, faire mijoter les viandes dans le bouillon avec les pommes de terre, l'oignon, le persil, le basilic, le sel et le poivre durant 20 minutes, à découvert. Laisser refroidir.

Déposer deux abaisses dans des moules d'aluminium de 8 x 8 po. Y ajouter le mélange de viandes et de légumes. Recouvrir avec les deux autres abaisses préalablement incisées au centre.

Faire cuire au four 50 minutes.

Remplacez l'une des viandes par du chevreuil* ou de l'orignal si vous en avez.

1. Deux assez grandes pour recouvrir l'intérieur des moules et deux pour recouvrir les pâtés. Voir la recette à la page 88.

* Voir le glossaire à la page 124.

HACHIS DE VIANDE 8 portions

Ingrédients

2 c. à soupe de beurre

4 tasses de bœuf en petits cubes[1]

6 pommes de terre coupées en petits cubes

1 navet coupé en petits cubes

3 carottes coupées en petits cubes

Sel et poivre, au goût

Pâte

2 tasses de farine

1 c. à thé de sel

3 c. à soupe de poudre à pâte

2 c. à soupe d'huile d'olive ou de canola

1 tasse de lait

1. On peut remplacer le bœuf par toute autre viande déjà cuite.

Le hachis est traditionnellement fait avec les restants de viande. Il faut les couper en petits cubes comme les légumes.

Préparation

Faire chauffer le beurre dans une cocotte, ajouter la viande et faire brunir. Ajouter les légumes. Couvrir d'eau, saler et poivrer puis laisser mijoter à couvert pendant 1 heure 15 minutes à feu doux.

Pâte

Mettre tous les ingrédients dans un bol. Bien mélanger avec une cuillère de bois. Former des boules avec la cuillère. Déposer sur le hachis 15 minutes avant la fin de la cuisson.

Le hachis enrichi

Le hachis est un vieux mot français qui désignait tout aliment coupé avec un hachoir. Le mot est passé en Angleterre lors de la conquête normande au XIe siècle et a donné naissance au *hash* et au célèbre *haggis* écossais. Lorsqu'est arrivé la pomme de terre au XVIIIe siècle, on s'est mis à composer des plats avec de la viande hachée et des pommes de terre en purée, en lamelles ou en dés. C'est ainsi qu'est né, des deux côtés de la frontière, le hachis qu'on a, peu à peu, enrichi d'autres légumes et de grands-pères (boules de pâte). La recette des grands-pères remonte à l'époque celtique, quelques centaines d'années avant Jésus-Christ. Les Irlandais et les Écossais sont ceux qui ont gardé la recette le plus longtemps et qui l'ont remise à l'honneur, chez nous, au milieu du XIXe siècle. Nous en mettons même sur des sirops de sucre ou de fruits.

CÔTELETTES DE PORC AU RIZ 5 portions

Ingrédients

1/3 tasse de farine

1/2 c. à thé de sel

1/4 c. à thé de poivre

1/4 c. à thé de paprika

1/4 c. à thé de cumin

5 côtelettes de porc épaisses (environ 1 po)

2 c. à soupe d'huile d'olive

3 gousses d'ail hachées

1 1/2 tasse de riz à grain long

1 boîte de 28 oz de tomates (entières ou en dés)

1/2 c. à thé de moutarde sèche

1/2 c. à thé de basilic, frais de préférence

1/2 c. à thé de cumin

2 gros oignons tranchés

Préparation

Préchauffer le four à 350 °F.

Dans un bol, mélanger la farine, le sel, le poivre, le paprika et 1/4 c. à thé de cumin. Recouvrir les deux côtés des côtelettes avec la préparation.

Dans une poêle, faire chauffer l'huile. Y déposer l'ail puis les côtelettes. Faire cuire à feu doux environ 5 minutes de chaque côté ou jusqu'à ce qu'elles brunissent.

Beurrer un plat allant au four d'environ 10 x 13 po, y étendre le riz puis les côtelettes.

Ouvrir la boîte de tomates, y ajouter la moutarde, le basilic et 1/2 c. à thé de cumin puis mélanger. Verser ce mélange sur les côtelettes. Séparer les rondelles d'oignon et les ajouter sur les tomates.

Couvrir le plat (avec un couvercle ou du papier d'aluminium) et faire cuire au four pendant 1 heure.

Enlever le couvercle et remettre au four durant 20 minutes pour faire brunir.

Le lendemain, gratinez les restants des côtelettes de porc au riz avec de l'emmental ou de la mozzarella.

CIPÂTE 12 portions

Ingrédients

1 lb de veau en cubes

1 lb de porc en cubes

1 lb de bœuf en cubes

1 lb de viande de bois ou de poulet en cubes

4 oignons hachés finement

1 c. à thé de sarriette, fraîche de préférence

1 c. à thé de persil, frais de préférence

1 c. à thé de basilic, frais de préférence

6 tasses de bouillon de poulet

2 tasses de vin blanc

Sel et poivre, au goût

6 pommes de terre en cubes

4 tasses de farine

2 c. à soupe de poudre à pâte

1 c. à thé de sel

1 1/4 tasse de beurre

2 tasses de lait froid

Cette recette, qui requiert une longue cuisson, permet de réunir plusieurs personnes autour d'un même plat.

Préparation

Dans un bol, mettre la viande, les oignons et les fines herbes dans 4 tasses de bouillon et le vin blanc. Saler et poivrer. Couvrir et laisser tremper au réfrigérateur toute la nuit.

Déposer les pommes de terre dans un autre bol, les couvrir d'eau froide et les laisser tremper toute la nuit.

Pâte

Dans un bol, mélanger la farine, la poudre à pâte, le sel, le beurre et le lait. Rouler deux grandes abaisses, l'une pour l'intérieur de la cocotte et l'autre pour couvrir le cipâte.

Cipâte

Préchauffer le four à 350 ºF.

Vider l'eau des pommes de terre en prenant soin de garder le fond (pour l'amidon), soit environ 2 tasses. Mélanger cette eau à la viande; elle aidera à épaissir le mélange.

Déposer une abaisse dans la cocotte beurrée pour qu'elle recouvre tout l'intérieur. Disposer des rangs de viande en alternance avec des rangs de pommes de terre en finissant par la viande. Ajouter 1 tasse de bouillon. Recouvrir avec l'autre abaisse. Faire un trou au centre de la pâte et former une petite cheminée de papier d'aluminium, qui sera insérée jusqu'au milieu du mélange (sans briser la pâte du dessous). Elle servira à arroser le cipâte.

Faire cuire à couvert de 4 à 5 heures. Toutes les 2 heures, soulever la cheminée pour vérifier s'il manque de bouillon. Si tel est le cas, ajouter 1 tasse de bouillon de poulet. En fin de cuisson, enlever le couvercle de la cocotte et faire brunir pendant 15 minutes.

Cipaille, cipâte, tourtière ou pot-en-pot?

Le mot *cipâte* est une déformation québécoise du mot anglais *sea pie* (pâté de mer). Le plat d'origine anglaise se faisait en superposant des rangées de poissons et de fruits de mer en alternance avec des couches de farine assaisonnée qu'on saupoudrait sur chaque couche de poisson ou d'huîtres, par exemple. Le plat a été apporté en Nouvelle-Angleterre au XVIIe siècle, où l'on a commencé à changer la recette et à remplacer les poissons et les fruits de mer par du gibier local, et la farine par des rangs de pommes de terre en dés. On a continué à utiliser les épices, comme la muscade, qu'on mettait aussi sur le poisson. Les Québécoises du Bas-Saint-Laurent qui sont allées travailler dans les manufactures de coton au milieu du XIXe siècle ont goûté à ce plat qu'elles ont adoré et ramené au Québec. Ne connaissant pas l'anglais, elles ont francisé le nom selon leur compréhension; elles l'ont appelé *six-pâtes* ou *six-pailles*, qui sont devenus *cipâte* et *cipaille*. Mais les gens de l'autre côté du fleuve faisaient encore le même plat apporté de France au début de la colonie et qu'ils appelaient *tourtière*. Les Acadiens en faisaient un semblable qu'ils appelaient *pot-en-pot*. Ces trois noms correspondent au plat le plus festif de notre cuisine.

POULET AU FOUR À LA CORIANDRE 4 portions

Ingrédients

1 poulet de 4 lb

1 c. à soupe d'huile d'olive

3 c. à soupe de chapelure[1]

2 c. à soupe de coriandre séchée

1 c. à thé de thym, frais de préférence

1 c. à thé de sauge, fraîche de préférence

1/2 c. à thé de moutarde sèche

Sel et poivre, au goût

1 oignon coupé en quatre

2 feuilles de laurier

4 branches de coriandre fraîche[2] hachées

Préparation

Préchauffer le four à 350 °F.

Badigeonner le poulet d'huile d'olive.

Dans une assiette, mélanger la chapelure, la coriandre séchée, le thym, la sauge, la moutarde sèche, le sel et le poivre.

Rouler le poulet dans la chapelure pour qu'elle recouvre totalement la viande.

Déposer le poulet dans un plat allant au four. Le farcir avec l'oignon, les feuilles de laurier et la coriandre fraîche. S'assurer qu'il est bien recouvert de chapelure.

Faire cuire 1 heure 30 minutes.

1. Voir la recette de chapelure maison à la page 76.
2. Si ce n'est pas possible, utiliser 4 c. à thé de coriandre séchée.

POISSON DU JOUR 4 portions

Voici quatre façons simples de faire cuire le poisson à la gaspésienne. Vous pouvez utiliser celui que vous avez sous la main (flétan, morue, turbot, sole, etc.). L'important est qu'il soit frais !

POISSON POÊLÉ

Ingrédients

2 lb de filets de **poisson**

Huile, pour la cuisson

Sel et poivre, au goût

Préparation

Faire chauffer l'huile dans une poêle. Saler et poivrer le poisson. Faire cuire à feu doux côté peau jusqu'à ce que le milieu soit cuit. Retourner et faire cuire 30 secondes. Servir avec une salade verte.

POISSON À L'ANGLAISE

Ingrédients

1 œuf

1 c. à soupe de lait

1/2 tasse de chapelure[1]

1/2 c. à thé de cumin

1/2 c. à thé d'épices à poisson

Autres épices, au goût

1 c. à thé de **basilic** séché et réduit en poudre

2 lb de filets de **poisson**

2 c. à soupe d'huile

1 noisette de beurre

Préparation

Dans un bol, fouetter l'œuf avec le lait.

Dans une assiette, mélanger la chapelure, les épices et le basilic.

Tremper le poisson dans les œufs puis le recouvrir de chapelure.

Dans une poêle, faire chauffer l'huile et le beurre. Faire cuire le poisson à feu moyen de 2 à 4 minutes seulement de chaque côté.

1. Voir la recette de chapelure maison à la page 76.

POISSON DU JOUR (suite)

POISSON À L'ÉTUVÉE

Ingrédients

2 lb de filets de poisson

2 c. à soupe de beurre

2 c. à soupe de farine

1 1/2 tasse de lait

1 oignon tranché finement

1/2 c. à thé de cumin

1/2 c. à thé d'épices à poisson

Autres épices, au goût

1 c. à thé de basilic frais écrasé

Persil, coriandre ou aneth, frais de préférence (pour la décoration)

Préparation

Faire cuire le poisson à la vapeur dans une casserole avec une marguerite ou dans une marmite à vapeur.

Dans une poêle, faire fondre le beurre. Ajouter la farine et faire cuire 2 minutes à feu moyen en brassant. Verser le lait. Faire chauffer en brassant vigoureusement. Incorporer les oignons, les épices et le basilic.

Servir le poisson dans la béchamel. Garnir de persil, de coriandre ou d'aneth.

POISSON EN PAPILLOTE

Ingrédients

Huile d'olive ou de pépins de raisin

2 pommes de terre moyennes tranchées finement

2 lb de filets de poisson épais

Persil frais, au goût

1 pincée de cumin

1 pincée d'épices à poisson

1 oignon tranché

2 carottes râpées

1 branche de céleri coupée finement

1 tasse de vin blanc sec ou d'hydromel

Préparation

Préchauffer le four à 350 ºF.

Préparer quatre grandes feuilles d'aluminium et badigeonner le côté mat d'un peu d'huile.

Y déposer les tranches de pommes de terre puis le poisson, le persil, les épices et les légumes. Arroser avec le vin ou l'hydromel, refermer les papillotes et les placer sur une tôle.

Faire cuire 15 minutes.

COQUILLES SAINT-JACQUES 6 portions

Ingrédients

4 pommes de terre moyennes pelées

1 c. à soupe de beurre

2 c. à soupe de lait

1 lb de pétoncles

1 boîte de 133 g (environ 5 oz) d'huîtres

1 1/2 tasse de vin blanc sec

1 lb de crevettes décortiquées

2 oignons hachés

10 champignons tranchés finement

6 c. à soupe de beurre

1/2 tasse de persil haché, frais de préférence

6 c. à soupe de farine

1 tasse de lait

Gruyère râpé, au goût

6 c. à thé de chapelure[1]

Préparation

Préchauffer le four à 375 ºF.

Dans une casserole, faire cuire les pommes de terre dans l'eau salée pendant 10 minutes. Les égoutter puis les réduire en purée en ajoutant le beurre et le lait. Réserver.

Dans une poêle, faire cuire les pétoncles et les huîtres dans le vin blanc durant 5 minutes à feu doux. Ajouter les crevettes et laisser mijoter 2 minutes. Retirer du feu.

Dans une seconde poêle, faire dorer les oignons et les champignons dans le beurre avec le persil. Retirer les légumes de la poêle et réserver.

Ajouter la farine au beurre de la seconde poêle. Mélanger et ajouter le lait. Faire chauffer 3 minutes à feu doux.

Ajouter les légumes et les fruits de mer à la sauce. Répartir dans 6 plats en forme de coquille (ou 6 gros ramequins). Avec une poche à douille, étendre la purée de pommes de terre sur la sauce. Parsemer de gruyère et de 1 c. à thé de chapelure par coquille. Faire gratiner au four 10 minutes.

Servir très chaud.

Si la sauce est trop épaisse, ajoutez de la crème et du vin blanc.

Si vous n'avez pas de poche à douille, utilisez un sac de plastique. Percez l'un des coins pour laisser passer les pommes de terre.

1. Voir la recette de chapelure maison à la page 76.

PÂTÉ DE SAUMON FUMÉ ET DE LÉGUMES 4 portions

Ingrédients

3 œufs

1/2 tasse de lait

1/2 tasse de farine

1 c. à thé de poudre de cari

Sel et poivre, au goût

4 c. à soupe de beurre

1 gousse d'ail hachée

1 oignon émincé

1/2 poivron vert coupé en lanières

1/2 poivron rouge coupé en lanières

1 tasse de fleurettes de brocoli

1 tasse de fleurettes de chou-fleur

9 oz (environ 250 g) de saumon fumé coupé en morceaux

1 tasse d'emmental râpé

Préparation

Préchauffer le four à 425 °F.

Dans un bol, battre les œufs, le lait, la farine et le cari. Saler et poivrer. Brasser jusqu'à ce que la pâte soit lisse (elle est alors assez liquide).

Verser la pâte dans une assiette à tarte de 9 po de diamètre beurrée. Faire cuire 15 minutes (la pâte gonflera).

Garniture

Dans une poêle, faire fondre le beurre puis faire revenir l'ail et l'oignon à feu moyen. Ajouter les autres légumes et les faire cuire légèrement. Ajouter le saumon, mélanger le tout et retirer du feu.

Déposer le mélange sur la pâte cuite. Garnir d'emmental et servir.

MOUSSE AUX CREVETTES 15 portions

Ingrédients

1 sachet de gélatine de 7 g
(environ 3/4 c. à soupe)

1/2 tasse d'eau chaude

1/2 tasse de crème à fouetter 35 %

1 boîte de 213 ml (environ 7/8 tasse)
de sauce tomate

9 oz (environ 250 g) de fromage à la crème

1/2 tasse de céleri coupé finement

1/2 tasse d'oignon vert[1] coupé finement

1 lb de crevettes cuites décortiquées

1 tasse de mayonnaise

Préparation

Mélanger la gélatine à l'eau chaude. Laisser reposer à la température de la pièce.

Dans un bol, fouetter la crème au malaxeur.

Dans une casserole, faire chauffer la sauce tomate à feu doux. Ajouter le fromage à la crème et faire chauffer jusqu'à ce qu'il soit fondu. Ajouter le céleri et l'oignon vert. Incorporer la gélatine au mélange. Ajouter les crevettes. Remuer doucement à la cuillère de bois. Incorporer la mayonnaise et la crème fouettée. Bien mélanger.

Verser dans un moule à gelées ou à aspics beurré et réfrigérer durant 2 heures.

Servir sur des craquelins ou des tranches de pain baguette.

Si votre gélatine a pris trop rapidement, réchauffez-la au micro-ondes.

1. Voir le glossaire à la page 124.

POT-EN-POT 3 pots-en-pots de 4 portions

Ingrédients

4 tasses de farine

8 c. à thé de poudre à pâte

2 c. à thé de moutarde sèche

3 c. à thé de sel

2 c. à soupe de persil séché

2/3 tasse de beurre

1 3/4 tasse de lait froid

2 tasses de pommes de terre coupées en cubes

1/4 tasse d'oignon vert[1] haché

1 branche de céleri coupée en petits morceaux

1 carotte râpée

1 oignon haché finement

1 tasse d'eau

1 lb de chair de homard frais[2] ou en conserve (égoutté)

1 lb de pétoncles

1 1/4 tasse de crème 15 %

1/2 tasse de beurre

Épices à poisson, au goût

Sel et poivre, au goût

4 c. à soupe de fécule de maïs

1 lb de crevettes décortiquées

1. Voir le glossaire à la page 124.
2. Voir la méthode de cuisson à la page 82.

Préparation

Dans un bol, mélanger la farine, la poudre à pâte, la moutarde, le sel et le persil avec un coupe-pâte. Ajouter le beurre et mélanger. Ensuite, ajouter le lait. Bien mélanger.

Rouler 6 abaisses, 3 grandes pour l'intérieur des plats allant dans la rôtissoire et 3 autres pour couvrir les pots-en-pots.

Le pot-en-pot se conserve très bien au congélateur. Faites-le réchauffer au four conventionnel avant de le servir plutôt qu'au micro-ondes; la pâte sera plus croustillante.

POT-EN-POT (suite)

Garniture

Préchauffer le four à 400 °F.

Mettre les pommes de terre, l'oignon vert, le céleri, la carotte, l'oignon et l'eau dans une casserole. Couvrir et faire cuire 15 minutes à feu doux.

Ajouter le homard, les pétoncles, la crème, le beurre et les épices à poisson. Saler et poivrer. Laisser mijoter 30 minutes à feu doux.

Dissoudre la fécule de maïs dans un peu d'eau froide et l'ajouter au mélange. Ajouter ensuite les crevettes, bien mélanger et laisser refroidir.

Placer 3 plats profonds allant au four dans une rôtissoire. Déposer les 3 grandes abaisses dans les plats, en recouvrant bien tout l'intérieur. Y verser le mélange et recouvrir avec les 3 autres abaisses.

Faire cuire au four 30 minutes.

Un plat acadien réinventé

Avant même d'être déportés officiellement en 1755, de nombreux Acadiens ont fui vers la Gaspésie. Certains s'étaient d'abord établis clandestinement dans la Baie-des-Chaleurs, d'autres ont été rapatriés au Canada par le gouverneur Haldimand en tant que bons pêcheurs de morue et bons chasseurs de loups-marins. Les derniers sont arrivés au moment de la guerre de l'Indépendance américaine, à la fin du XVIIIᵉ siècle, en même temps que les premiers loyalistes. Près de 70 % des Gaspésiens ont du sang acadien ! Il est normal qu'on voie leur cuisine trôner sur les tables familiales. Le pot-en-pot est le mot acadien pour désigner le *cipaille* ou la *tourtière*. Il se faisait à l'origine avec du gibier ou de la viande et, à certains endroits, avec du poisson. Ce sont les Madelinots qui ont eu l'idée de le faire avec des fruits de mer, comme la recette de Mathilde l'illustre.

PÉTONCLES POÊLÉS AUX GADELLES NOIRES 6 portions

Ingrédients

Légumes au choix, pour 6 personnes

Huile

Sel et poivre, au goût

2 c. à soupe de beurre

2 lb de pétoncles

Confiture de gadelles noires

Préparation

Préchauffer le four à 425 °F.

Couper les légumes en gros morceaux. Bien les huiler puis les saler et les poivrer. Les faire cuire sur une plaque à biscuits 30 minutes en les retournant une fois.

Dans une poêle, faire fondre le beurre. Faire cuire à feu vif chaque côté des pétoncles pendant 2 minutes (un peu plus s'ils sont très gros).

Avant de servir, verser un filet de confiture de gadelles sur les pétoncles. Accompagner de légumes grillés.

CONFITURE DE GADELLES NOIRES MAISON

Ingrédients

4 tasses de gadelles noires (cassis)

Eau froide

3 tasses de sucre blanc

Préparation

Stériliser 4 pots de 250 ml (1 tasse) de style Mason.

Dans une casserole, déposer les gadelles et couvrir d'eau sans dépasser la hauteur des fruits. Porter à ébullition et laisser mijoter 25 minutes à feu moyen.

Ajouter le sucre, mélanger et faire bouillir de 3 à 4 minutes maximum (attention, une cuisson trop longue ferait durcir la confiture). Verser dans les pots et les fermer immédiatement. Laisser refroidir.

La gadelle doit absolument être bouillie avant qu'on y ajoute le sucre. Surveillez bien le temps de cuisson.

Ce plat peut être
servi avec une salade
de légumes de saison.

QUIAUDE À LA MORUE 4 portions

Ingrédients

4 c. à soupe de beurre

1 gros oignon haché finement

4 carottes coupées
en environ 6 morceaux

5 pommes de terre coupées
en environ 6 morceaux

2 lb de filets de morue

4 c. à soupe de farine

1/4 tasse de céleri haché très finement

Sel et poivre, au goût

Persil, frais de préférence, au goût

Préparation

Faire fondre le beurre dans une casserole à feu moyen. Ajouter l'oignon et le faire cuire sans le faire brunir.

Ajouter les carottes et les pommes de terre. Couvrir d'eau et faire bouillir 15 minutes à couvert.

Fariner les filets de morue et les déposer dans la casserole. Ajouter le céleri. Faire bouillir le tout environ 10 minutes.

Saler et poivrer. Servir avec du persil et un bon pain de ménage tartiné de beurre doux.

Pourquoi la quiaude?

La quiaude appartient à l'histoire de la pêche en Gaspésie et remonte au XVIIIe siècle. Les pêcheurs, de 13 nationalités, avaient tous la même technique de préparation de la morue. Ils la vidaient en gardant pour eux le foie, l'estomac, la chair plus dure avoisinant la colonne vertébrale, et la tête avec la langue et les joues. Ils salaient le reste du poisson pour le vendre. Les éléments conservés étaient nettoyés et mis dans une chaudière* pour le repas du soir. L'excédent était gardé en réserve dans des barils avec du gros sel. On ajoutait à ces restes de l'eau, de l'oignon et des biscuits matelots (biscuits très secs qui se conservaient très longtemps). Quand les pommes de terre sont arrivées vers 1850, elles ont remplacé les biscuits.

Le nom de cette soupe vient du récipient utilisé, la chaudière. Chaque nationalité prononçait à l'époque ce mot français avec son accent d'origine. On entendait donc les mots *chaude, tchaude, tchaudiêr, chowder, tiaude, thiaude, tiaurrr, quiaune, quiaule, quioune,* etc., et enfin *quiaude,* la prononciation jersiaise qu'on a finalement gardée!

* Seau en cuivre ou en fer avec une anse en métal permettant de le suspendre au-dessus du feu.

SOUFFLÉ DE MORUE 2 portions

Ingrédients

1 tasse de morue salée ou fraîche

2 tasses de pommes de terre en purée

1 c. à soupe de beurre

2 c. à soupe de lait

2 jaunes d'œufs battus

2 blancs d'œufs

Préparation

Préchauffer le four à 350 °F. Beurrer un moule à soufflé de 8 po de diamètre.

Morue salée : Dessaler dans l'eau froide en laissant tremper 1 heure, puis faire cuire à la vapeur 10 minutes.

Morue fraîche : Faire cuire à la vapeur 5 minutes.

Avec une fourchette et un couteau ou avec un mélangeur, émietter le poisson.

Dans un bol, mélanger la morue et les pommes de terre. Ajouter le beurre et le lait. Mélanger puis incorporer les jaunes d'œufs.

Dans un autre bol, monter les blancs d'œufs en neige au malaxeur jusqu'à la formation de pics fermes. Les incorporer à la préparation, puis verser dans le moule.

Faire cuire au four 30 minutes et servir.

LASAGNE AUX FRUITS DE MER 8 portions

Ingrédients

1 boîte (13 oz) de homard ou la chair
de 1 homard frais

1 lb de crevettes cuites décortiquées

3 c. à soupe de beurre fondu

1 c. à thé de jus de citron

1/2 tasse de cognac

1/2 c. à thé de cumin

1/4 c. à thé de poivre de Cayenne

2 c. à soupe de persil frais haché

Sel et poivre, au goût

2 tasses de crème 15 %

1/4 tasse de beurre

1/4 tasse de farine

Le jus de la boîte de homard ou 1/2 tasse
d'eau bouillante

12 pâtes à lasagne

17 oz (environ 475 g) de ricotta écrasée

18 oz (environ 500 g) de mozzarella râpée

Préparation

Dans un bol, mélanger le homard et les crevettes. Arroser de beurre, de jus de citron et de cognac. Assaisonner de cumin, de poivre de Cayenne et de persil. Saler et poivrer.

Dans une casserole, faire chauffer la crème à feu doux et garder au chaud.

Béchamel

Dans une autre casserole, faire fondre le beurre et ajouter la farine. Retirer du feu et mélanger. Ajouter le jus de la boîte de homard ou l'eau bouillante ainsi que la crème chaude. Faire chauffer 5 minutes à feu doux en remuant constamment.

Lasagne

Faire cuire les pâtes tel qu'indiqué sur l'emballage.

Préchauffer le four à 350 °F.

Recouvrir le fond d'un plat de 13 x 10 po de pâtes égouttées. Ajouter une partie du mélange de fruits de mer, une partie de la béchamel et une partie de la ricotta. Répéter ces étapes pour faire 3 étages, en terminant par la ricotta.

Parsemer de mozzarella et faire cuire au four 50 minutes.

CUISSON DU MAQUEREAU 1 portion

Ingrédients

1 **maquereau** entier

Assaisonnements au choix
(sel, poivre, cumin, etc.)

Préparation

Vider le maquereau de ses viscères et couper la tête. Bien rincer le poisson puis le trancher en deux filets en partant de la queue vers la tête et en longeant la colonne. Jeter la partie centrale (la colonne et les arêtes).

Assaisonner le côté de la chair des filets.

Sur le barbecue

Faire cuire à feu moyen du côté de la peau. Attendre que la chaleur pénètre la chair du poisson. Le retourner et faire cuire le côté de la chair quelques secondes seulement.

Sur la cuisinière

Dans une poêle, faire cuire à feu moyen du côté de la peau dans un peu de beurre ou d'huile (le poisson contient déjà du gras). Attendre que la chaleur pénètre la chair du poisson. Le retourner et faire cuire le côté de la chair quelques secondes seulement.

CONSERVES DE MAQUEREAU

Ingrédients

3 maquereaux moyens

Sel et poivre, au goût

1 oignon émincé

1 c. à soupe de vinaigre

1 c. à soupe de jus de citron

1/2 tasse de bouillon de légumes refroidi

Préparation

Stériliser 3 pots de 250 ml (1 tasse) de style Mason.

Vider les maquereaux de leurs viscères, et couper les têtes et les queues. Bien rincer les poissons. Mettre un maquereau par pot. Saler et poivrer.

Répartir de façon égale l'oignon, le vinaigre, le jus de citron et le bouillon dans les pots, puis les fermer.

Placer les pots dans un autocuiseur (marmite à pression) ou une marmite au fond de laquelle on aura pris soin de placer un torchon ou une grille.

Entourer chaque pot d'un torchon pour les empêcher de s'entrechoquer. Couvrir d'eau et poser le couvercle de l'autocuiseur ou de la marmite.

Porter à ébullition et faire cuire 1 heure. Laisser refroidir dans l'autocuiseur ou la marmite.

Les conserves sont réussies lorsque chaque couvercle des pots est courbé vers le bas.

Pour un repas complet, servez avec un duo de légumes bouillis et de pommes de terre. Pour des amuse-gueule, tranchez les maquereaux en petits cubes et servez-les sur des craquelins.

Le maquereau fait battre des cœurs

Mathilde nous propose une très vieille recette originaire de l'Ouest français où le maquereau est d'abord mariné avec du vinaigre et des légumes avant d'être cuit au four ou mis en conserve. Les familles gaspésiennes d'origine normande et jersiaise ont propagé la recette en Gaspésie. Comme le maquereau est un poisson très riche en oméga 3, il est en train de reprendre sa place dans notre cœur. Son gras, autrefois boudé, est bénéfique pour la santé de cet organe! C'est à la fin de l'été et au début de l'automne qu'il faut manger ce poisson, car il est alors bien dodu et bien gras. Et pourquoi ne pas s'en faire des réserves pour l'hiver plutôt que d'acheter du poisson importé ou élevé dans des usines à poisson étrangères? Le maquereau appartient à notre tradition culinaire, frais, mariné ou fumé.

QUICHE AUX FRUITS DE MER 4 portions

Ingrédients

1 abaisse à quiche[1] de 9 po

3 oignons verts[2] hachés

2 c. à thé de persil haché, frais de préférence

2 c. à soupe de beurre

1 1/4 tasse de chair de crabe, de crevettes ou de homard, frais ou en conserve

1/4 tasse de vin blanc

Sel et poivre, au goût

3 œufs

1 tasse de crème 15 %

1 c. à soupe de pâte de tomate

1/4 c. à thé de paprika

1/3 tasse de gruyère râpé

Préparation

Préchauffer le four à 375 °F.

Déposer l'abaisse dans le moule à quiche.

Dans une poêle, faire sauter les oignons verts et le persil dans le beurre. Ajouter les fruits de mer, le vin, le sel et le poivre.

Dans un bol, battre les œufs avec la crème et la pâte de tomate. Ajouter le paprika et mélanger. Verser le contenu de la poêle dans le bol. Mélanger. Verser le mélange dans la croûte non cuite. Garnir de gruyère.

Faire cuire au four de 25 à 30 minutes.

1. Voir la recette à la page 88.
2. Voir le glossaire à la page 124.

BOULES À LA MORUE 8 portions

Ingrédients

2 lb de morue salée

2 oignons moyens hachés finement

2 c. à soupe d'huile

2 c. à soupe de beurre

5 pommes de terre moyennes entières non pelées

2 œufs battus

Poivre, au goût

3/4 tasse de chapelure

Huile

Beurre

Vous pouvez congeler les boules après les avoir roulées dans la chapelure. Au moment de les cuisiner, faites-les frire directement, sans les décongeler.

Pour des boules au saumon, remplacez la morue par du saumon frais.

Préparation

Pour dessaler la morue, la couvrir d'eau froide et la faire tremper pendant 2 heures en changeant l'eau une fois.

Dans une poêle, faire revenir les oignons dans l'huile et le beurre sans les faire brunir puis les réserver.

Dans une casserole, couvrir d'eau les pommes de terre et la morue dessalée. Faire bouillir à couvert 20 minutes, à feu moyen. Jeter l'eau.

Peler les pommes de terre et les réduire en purée. Émietter la morue avec une fourchette et un couteau. La mélanger aux pommes de terre et ajouter les oignons, les œufs et le poivre.

Façonner le mélange en boules, les rouler dans la chapelure et les aplatir légèrement. Dans une poêle, faire frire les boules dans l'huile à feu moyen avec quelques noisettes de beurre.

CHAPELURE MAISON

Prendre du vieux pain sec et le mettre au four à 200 °F pendant 2 heures. Écraser le pain avec un rouleau à pâte puis le réduire en miettes au robot culinaire. Passer la chapelure au tamis et ne garder que la partie fine. Remettre les morceaux qui demeurent dans le tamis au robot et répéter ces étapes jusqu'à ce que la chapelure soit assez fine pour qu'il ne reste plus rien dans le tamis.

Qui a inventé les boules au poisson ?

L'idée de mélanger du poisson avec un aliment farineux est apparue un peu partout dans le monde. Les Micmacs se faisaient déjà des *gigos* avec des restes de saumon et de la semoule de maïs qu'ils enveloppaient de feuilles de maïs et qu'ils faisaient bouillir dans un pot de terre cuite, au moment de l'arrivée des Blancs dans les Maritimes. Les Normands se faisaient des boules de poisson avec des restes de poisson de mer, du pain rassis écrasé, des œufs et du lait. Les loyalistes établis en Gaspésie furent les premiers à en faire avec de la purée de pommes de terre. Les recettes ont fini par se mélanger et nous donner les boules à la morue ou au saumon proposées par Mathilde. La plupart des gens les poêlent dans un corps gras, mais certaines familles les font cuire dans une friteuse.

MICHE FARCIE AUX PALOURDES 12 portions

Ingrédients

1 miche de pain ronde de 8 po de diamètre

13 oz (environ 375 g) de fromage à la crème

2 branches de céleri hachées finement

4 oignons verts[1] hachés finement

2 boîtes de petites palourdes de 142 g (5 oz) chacune

Sel et poivre, au goût

Préparation

Préchauffer le four à 300 °F.

Prélever une tranche de 1 po sur le dessus de la miche et la réserver.

Évider la miche au couteau sans trouer la croûte. Réserver la mie.

Dans un bol, crémer le fromage au malaxeur ou à la fourchette et incorporer le céleri et les oignons verts. Ajouter une boîte de palourdes avec son jus. Égoutter la seconde boîte et incorporer les palourdes au mélange. Saler et poivrer.

Farcir la miche avec le mélange et remettre en place la tranche prélevée. Envelopper le tout dans du papier d'aluminium et faire cuire 3 heures.

Couper la mie en cubes pour la trempette. Servir avec des fourchettes à fondue.

1. Voir le glossaire à la page 124.

Du pain en forme de pleine lune

La recette de Mathilde est à la fois moderne et très ancienne. Elle remonte d'abord au temps des Romains, 400 ans avant Jésus-Christ. Dans le temps du Premier de l'an, basé à l'époque sur la première lune de l'année, on faisait toujours des pains ronds, pour imiter la lune, que l'on farcissait de viandes ou de poissons en sauce. Pour cela, il fallait vider le pain de sa mie, comme le fait Mathilde, et le remplir d'une préparation qu'on mettait ensuite au four. C'est ce plat qui a été la première forme de tourtière, de tarte et de tourte que l'on connaît aujourd'hui et que l'on sert aussi dans le temps des fêtes, depuis des siècles. En faire une trempette moderne gaspésienne, quelle bonne idée !

BOUILLABAISSE GASPÉSIENNE 12 portions

Ingrédients

2 homards de 2 lb chacun

3 tasses d'eau

2 c. à soupe de gros sel

1/2 tasse de beurre

2 gros oignons hachés finement

2 branches de céleri coupées en morceaux

1 poivron jaune coupé en morceaux

6 pommes de terre coupées en morceaux

3 gousses d'ail émincées

1 lb de filets de morue

1 lb de filets de flétan

1 lb de filets de saumon

1 lb de pétoncles

1 lb de crevettes décortiquées

3 tasses de tomates en dés (1 grosse boîte)

1 tasse de vin blanc

1/2 c. à thé de thym séché

2 c. à thé de persil séché

3 feuilles de laurier

1 pincée de safran

Sel et poivre, au goût

Préparation

Dans une marmite, faire cuire les homards dans l'eau et le sel tel qu'indiqué à la page 82. Les égoutter et les décortiquer en laissant toutefois la chair des pinces dans leur carapace.

Dans une cocotte, faire fondre le beurre. Mettre les légumes et l'ail puis couvrir d'eau. Faire cuire à couvert environ 15 minutes à feu moyen. Laisser tiédir.

Couper les filets de poisson en gros morceaux. Les déposer dans la cocotte en ajoutant aussi les fruits de mer, les tomates, le vin blanc puis les fines herbes et le safran. Saler et poivrer. Si la bouillabaisse semble trop épaisse, ajouter 1 tasse d'eau fraîche. Laisser mijoter de 35 à 40 minutes à feu doux.

Servir dans un bol à soupe en garnissant des pinces de homard en carapace.

CUISSON DU CRABE ET DU HOMARD 5 portions

Ingrédients

5 tasses d'eau fraîche[1]
1/4 tasse de gros sel
5 crabes des neiges ou 5 homards

Pour savoir si le crabe est prêt, cassez la petite pince de la dernière patte. Si, en la cassant, la chair en sort facilement, le crabe est cuit ! Le homard, quant à lui, est cuit quand il est complètement rouge.

Pour éviter que le crabe noircisse, il faut détacher les pattes du corps avant de le faire cuire. Elles peuvent être gardées au frais quelques jours, mais le corps doit être mangé tout de suite.

Préparation

Crabe

Dans une marmite, amener l'eau à ébullition et ajouter le sel. Ramener à ébullition. Plonger les crabes (sur le ventre) dans l'eau et faire cuire 10 minutes à gros bouillons. Baisser le feu à température moyenne et faire cuire 2 autres minutes. Rincer ensuite les crabes à l'eau froide.

Homard

Dans une marmite, amener l'eau à ébullition et ajouter le sel. Ramener à ébullition. Plonger les homards (tête première) dans l'eau et faire cuire à gros bouillons, en comptant de 7 à 8 minutes de cuisson par livre ou de 22 à 25 minutes pour un homard de 2 1/2 lb. Les rincer à l'eau froide.

Servir avec une salade de pommes de terre ou une salade verte et du beurre à l'ail, au goût.

1. Cette méthode de cuisson à la vapeur rend le crabe ou le homard plus savoureux, car il goûte moins l'eau. Augmenter la quantité d'eau si les crabes ou les homards sont très gros.

Avec les restes, pourquoi ne pas déguster un bon sandwich ? Mélangez à la chair de crabe ou de homard 3 c. à soupe de céleri haché finement, 1 c. à soupe d'oignon vert* haché, du persil, du poivre et de la mayonnaise.

* Voir le glossaire à la page 124.

DESSERTS

SHORTCAKE AUX FRAISES 12 portions

Ingrédients

2 tasses de farine

3 c. à thé de poudre à pâte

1/2 c. à thé de sel

6 c. à soupe de beurre

1 œuf

2 c. à soupe de sucre blanc

2/3 tasse de lait

1 tasse de crème à fouetter 35 %

3 gouttes d'extrait de vanille

Sucre blanc ou sirop d'érable, au goût

1 1/2 tasse de fraises entières lavées, équeutées et coupées en tranches épaisses

3 tasses de fraises entières lavées et équeutées

En saison, utilisez des fraises du Québec, qui sont beaucoup plus savoureuses que les autres.

Préparation

Préchauffer le four à 400 °F. Beurrer un moule à gâteau de 8 po de diamètre.

Dans un bol, mélanger la farine, la poudre à pâte et le sel. Incorporer le beurre à l'aide d'un coupe-pâte ou d'une fourchette.

Dans un autre bol, battre l'œuf avec le sucre et le lait. Verser ce mélange sur les ingrédients secs et mélanger à la fourchette.

Former deux boules de pâte et les saupoudrer de farine. Étendre une boule au fond du moule pour former une galette. Beurrer sa surface et étendre la seconde boule en formant une galette par-dessus (pour séparer facilement les deux galettes après la cuisson).

Faire cuire 20 minutes. Laisser tiédir les deux galettes et les séparer.

Garniture

Dans un bol, fouetter la crème avec la vanille, en sucrant légèrement.

Étendre une partie de la crème fouettée et les fraises tranchées sur l'une des galettes. Y déposer la seconde galette. Étendre le reste de la crème fouettée sur le dessus et les côtés du gâteau (au goût). Garnir de fraises entières.

Un shortcake évolué

Le shortcake lui-même est une vieille recette anglaise qui était déjà connue au XVIe siècle puisqu'elle est mentionnée dans une pièce de Shakespeare et un livre de recettes de l'époque. On l'appelle ainsi parce que la mie du gâteau a une fibre courte et grumeleuse comme celle des scones et des grands-pères. La recette a été apportée en Nouvelle-Angleterre au XVIIe siècle et les Américains ont inventé, vers 1850, le *shortcake aux fraises* en associant les nouvelles fraises de jardin, arrivées depuis 1840, avec ce gâteau traditionnel. Au début, on servait toujours le gâteau chaud avec des fraises chaudes. La recette est d'ailleurs entrée au Québec sous cette forme chaude. Ce sont les religieuses montréalaises qui enseignaient la cuisine qui ont eu l'idée de remplacer le shortcake par un gâteau éponge qu'on garnissait de crème fouettée et de fraises fraîches. Mathilde mélange pour sa part les deux recettes.

PÂTE À TARTE 4 abaisses de 8 po de diamètre

Ingrédients

5 tasses de farine
1 c. à soupe de poudre à pâte
1 pincée de sel
1 lb de beurre
2 tasses d'eau très froide

Préparation

Mélanger grossièrement la farine, la poudre à pâte, le sel et le beurre à l'aide d'un coupe-pâte, jusqu'à ce que le beurre soit défait en morceaux de la grosseur d'un pois. Verser l'eau et mélanger avec les mains. Ajouter de l'eau au besoin.

Lorsqu'elle est bien mélangée, abaisser la pâte au rouleau pour qu'elle soit d'environ 1/4 po d'épaisseur.

PÂTE À QUICHE ET À PÂTÉ

Utiliser les ingrédients et le mode de préparation de la pâte à tarte, en ajoutant 1 c. à thé de persil séché au mélange d'ingrédients secs. Il est aussi possible d'introduire une épice ou une herbe au choix pour parfumer la pâte.

Le secret d'une bonne pâte est de ne pas trop la travailler. Si elle semble trop molle, ajoutez-y un peu de préparation sèche.

Pour conserver la pâte au congélateur, mélangez les ingrédients secs et le beurre sans ajouter l'eau. Vous pourrez ainsi la conserver 6 mois.

Quoique le beurre soit plus goûteux, vous pouvez le remplacer par du shortening ou mettre la moitié de l'un et de l'autre.

TARTE AU SIROP D'ÉRABLE ET AUX PACANES 8 portions

Ingrédients

1 abaisse à tarte[1] de 9 po
1 tasse de pacanes
4 c. à soupe de beurre
4 c. à soupe de farine
1/2 tasse d'eau
1 tasse de sirop d'érable

Préparation

Préchauffer le four à 400 °F.

Déposer une abaisse dans un moule à tarte de 9 po de diamètre.

Faire cuire 15 minutes ou jusqu'à ce que la pâte soit dorée.

Garniture

Étendre les pacanes dans l'abaisse.

Faire fondre le beurre dans une casserole. Ajouter la farine et faire cuire sans faire brunir.

Ajouter l'eau et le sirop d'érable peu à peu en remuant. Faire cuire environ 3 minutes à feu moyen. Retirer du feu.

Laisser refroidir avant de remplir la croûte à tarte déjà cuite.

Cette recette remportera un vif succès auprès de vos invités !

1. Voir la recette à la page 88.

TARTE AUX FRAMBOISES 8 portions

Ingrédients

2 abaisses à tarte[1]

1 c. à soupe de petit tapioca

3 tasses de framboises fraîches

1 tasse de sucre blanc

2 c. à soupe de beurre

Préparation

Préchauffer le four à 400 °F.

Déposer une abaisse dans un moule à tarte. Verser le tapioca non cuit dans l'abaisse. Ajouter les framboises puis le sucre. Parsemer de noisettes de beurre. Recouvrir de l'autre abaisse préalablement incisée au centre.

Faire cuire sur la grille du bas pendant 20 minutes. Laisser refroidir et servir.

1. Voir la recette à la page 88.

TARTE AUX FRAISES 8 portions

Ingrédients

1 abaisse à tarte[1]
4 tasses de fraises fraîches
3 c. à soupe de fécule de maïs
1/2 tasse de sucre blanc
1 c. à soupe de jus de citron
1 tasse de crème 35 %
1/4 tasse de sucre blanc
1 c. à thé de vanille

Préparation

Préchauffer le four à 375 °F.

Déposer l'abaisse dans un moule à tarte. Faire cuire 15 minutes.

Garniture

Laver et équeuter les fraises. En réserver la moitié. Avec une fourchette, mettre en purée l'autre moitié.

Dans une casserole, faire cuire à feu doux les fraises en purée, la fécule de maïs, 1/2 tasse de sucre et le jus de citron jusqu'à ce que ce soit lisse et crémeux. Laisser tiédir.

Disposer les 2 tasses de fraises entières dans l'abaisse. Verser le mélange tiède sur les fraises.

Fouetter la crème, le sucre et la vanille dans un bol. Décorer la tarte de crème fouettée. Servir.

Ajoutez des fraises sur le dessus de la crème fouettée pour décorer.

1. Voir la recette à la page 88.

TARTE AUX BLEUETS 8 portions

Ingrédients

2 abaisses à tarte[1]
1 c. à soupe de petit tapioca
3 tasses de bleuets frais
1/2 tasse de sucre blanc
2 c. à thé de beurre

Préparation

Préchauffer le four à 400 °F.

Déposer une abaisse dans un moule à tarte.
Ajouter le tapioca non cuit dans le fond de l'abaisse.

Déposer les bleuets sur le tapioca. Saupoudrer le sucre sur les bleuets, puis déposer des noisettes de beurre.

Recouvrir de l'autre abaisse préalablement incisée au centre. Faire cuire sur la grille du bas pendant 25 minutes.

1. Voir la recette à la page 88.

Le pain : l'ancêtre des tartes

Ce sont les Romains qui ont inventé les tartes.
À l'origine, il s'agissait d'un pain rond que l'on coupait en deux et que l'on farcissait de préparations diverses sucrées ou salées. Ce pain s'appelait *tortus* en latin, ce qui a donné plusieurs mots français comme la *tourte*, la *tarte* et la *tourtière*. On offrait ces pains aux dieux romains en allant les déposer sur leurs autels. Par conséquent, les tartes ont souvent, par la suite, été associées aux fêtes religieuses chrétiennes; on les faisait, au Québec, dans le temps des fêtes ou lors des événements de la vie comme les mariages ou les baptêmes.

On a remplacé, dès les premiers siècles après Jésus-Christ, la pâte à pain par la pâte brisée ou feuilletée. Le genre de tarte aux fraises que présente Mathilde est d'origine anglaise. Elle nous est venue de la Nouvelle-Angleterre avec les loyalistes qui se sont établis en Gaspésie à partir de 1784. Ceux-ci étaient d'excellents jardiniers et ils ont été les premiers à planter des fraises de jardin avec lesquelles on fait maintenant les tartes.

POUDING VAPEUR AU CHOCOLAT 8 portions

Ingrédients

1 1/2 tasse de farine

4 c. à thé de poudre à pâte

1/4 c. à thé de sel

2 oz de chocolat non sucré (idéalement noir)

1 tasse de lait

1/4 tasse de beurre

1 œuf battu

1/2 tasse de sucre blanc

7 oz de chocolat au lait (avec ou sans amandes)

2 tasses de crème 15 %

1/2 c. à thé d'extrait de vanille (facultatif)

Pour plus de « punch », ajoutez du rhum ou un autre alcool à la sauce au chocolat !

Préparation

Beurrer généreusement un moule à pouding vapeur muni d'un couvercle hermétique[1] d'une capacité de 4 tasses.

Dans un bol, mélanger la farine, la poudre à pâte et le sel.

Faire fondre le chocolat au micro-ondes (environ 30 secondes) ou au bain-marie.

Dans un autre bol, mélanger le chocolat fondu avec le lait, le beurre, l'œuf et le sucre. Verser dans le bol d'ingrédients secs et mélanger. Verser le tout dans le moule et couvrir.

Déposer le moule dans une marmite d'eau tiède en s'assurant que l'eau atteindra sa mi-hauteur. Couvrir la marmite et porter à ébullition. Réduire la chaleur de façon que l'eau frémisse. Faire cuire environ 2 heures. En cours de cuisson, ajouter de l'eau chaude au besoin pour maintenir le niveau d'eau.

Laisser refroidir.

Sauce au chocolat

Dans une casserole, faire fondre le chocolat dans la crème à feu moyen, puis ajouter la vanille.

Servir le pouding avec la sauce.

1. À défaut de posséder un moule classique muni d'un couvercle, utiliser un cul-de-poule ou un moule haut. Recouvrir d'un papier d'aluminium beurré et fixé fermement à l'aide d'une corde.

POUDING AUX RAISINS OU AUX DATTES 10 portions

Ingrédients

1 tasse de farine

1/4 c. à thé de sel

2 c. à thé de poudre à pâte

2 c. à thé de sucre blanc

2 c. à soupe de beurre

1 tasse de raisins secs ou de dattes coupées en petits morceaux

1/2 tasse de lait

1 tasse de cassonade

1 c. à soupe de beurre

1 3/4 tasse d'eau bouillante

Préparation

Préchauffer le four à 375 °F. Beurrer et enfariner un moule de 8 x 8 po.

Dans un bol, mélanger la farine, le sel et la poudre à pâte. Ajouter le sucre et le beurre. Mélanger jusqu'à ce que les morceaux de beurre aient la grosseur d'un pois.

Incorporer les raisins ou les dattes et le lait en mélangeant à la fourchette. Verser dans le moule.

Sauce

Dans un bol, mettre la cassonade et le beurre. Ajouter l'eau bouillante et mélanger.

Verser la sauce sur la pâte. Faire cuire 30 minutes.

Ce pouding est vite fait
– environ 15 minutes –
et vite mangé !

POUDING À LA RHUBARBE 8 portions

Ingrédients

1 1/3 tasse de farine

3 c. à thé de poudre à pâte

1/2 c. à thé de sel

1/2 tasse de sucre blanc

1/4 tasse de beurre ramolli

1 œuf

3/4 tasse de lait

De 4 à 5 tasses de rhubarbe[1],
pelée et coupée en petits morceaux

1/4 tasse de sirop d'érable

Crème (facultatif)

Préparation

Préchauffer le four à 350 °F. Beurrer et enfariner un moule de 9 x 9 po.

Dans un bol, mélanger la farine, la poudre à pâte, le sel et le sucre. Ajouter le beurre à la fourchette.

Dans un autre bol, battre l'œuf et le lait avec une fourchette, puis les incorporer au mélange d'ingrédients secs. Ne pas mélanger trop longtemps.

Disposer la rhubarbe dans le moule, ajouter le sirop d'érable et verser la pâte sur le tout. Faire cuire 25 minutes.

Servir avec de la crème.

On croit à tort que, quand la rhubarbe est en fleur, elle n'est plus bonne. C'est faux : il suffit d'enlever les fleurs au complet pour la savourer.

1. On peut remplacer la rhubarbe par des bleuets, des framboises, des pêches ou des fruits divers.

POUDING AU PAIN À L'ÉRABLE, SAUCE AU WHISKY 8 portions

Ingrédients

1 grosse miche de pain de la veille coupée en cubes (de 6 à 8 tasses)

3/4 tasse de raisins secs

1 c. à soupe de cannelle moulue

3 tasses de lait

1 tasse de sirop d'érable

4 c. à soupe de beurre fondu

3 œufs battus

1 c. à soupe de vanille pure

Sauce au whisky

1/2 tasse de beurre

3/4 tasse de sirop d'érable

2 jaunes d'œufs

1/2 tasse de whisky

Préparation

Préchauffer le four à 350 °F. Beurrer un moule de 9 x 9 po.

Dans un grand bol, mélanger tous les ingrédients. Verser dans le moule.

Faire cuire 1 heure ou jusqu'à ce qu'un cure-dent inséré au centre en ressorte propre.

Sauce au whisky

Faire fondre le beurre au bain-marie. Y ajouter le sirop d'érable graduellement en battant constamment au fouet. Le mélange ne doit pas bouillir. Retirer momentanément du feu et ajouter les jaunes d'œufs un à la fois en battant vigoureusement.

Remettre au bain-marie et faire cuire à feu doux quelques minutes en battant constamment jusqu'à l'obtention d'une texture homogène.

Retirer du feu et verser le whisky graduellement, sans cesser de battre.

Napper de sauce chaude les portions de pouding.

Du boudin au pouding

Tout a commencé dans l'ouest de la France, au haut Moyen Âge, au moment où l'on s'est mis à farcir les oiseaux avec du pain et d'autres ingrédients. Voyant que la farce était assez bonne, on s'est mis à mettre cette préparation dans des boyaux nettoyés, ce qui nous a donné le fameux boudin. Lorsque les Normands ont conquis l'Angleterre en 1066, ils ont amené la recette avec eux. Le boudin, prononcé à l'anglaise, est devenu *poudin*(g). Par la suite, pour simplifier la préparation, les Anglais ont remplacé les boyaux par des petites poches de coton qu'ils plongeaient dans l'eau bouillante en y ajoutant des fruits séchés ou confits, des épices et du sucre. La recette s'est transmise au Québec, au milieu du XIXᵉ siècle, et s'est enrichie de sirop d'érable. Puis, au début du XXᵉ siècle, on a commencé à cuire les poudings au four plutôt que dans l'eau. La recette de Mathilde est un pouding de luxe.

PLUM-POUDING FLAMBÉ 12 portions

Ingrédients

2 œufs

1/2 tasse de cassonade

1/2 tasse de mélasse noire

1/2 tasse de beurre à température ambiante

1/2 tasse de dattes coupées en morceaux

1/2 tasse de figues coupées en morceaux

1 tasse de raisins secs

1/2 tasse de fruits confits en petits morceaux

1 tasse de farine

1/4 c. à thé de sel

1/4 c. à thé de clou de girofle moulu

1/4 c. à thé de muscade

1/2 c. à thé de cannelle

1/2 c. à thé de poudre à pâte

1 tasse de lait

1 tasse de mie de pain coupée en carrés d'environ 1/2 x 1/2 po

1/2 tasse d'amandes grillées (ou plus, au goût)

Rhum, pour l'étamine

Préparation

Beurrer généreusement un moule à pouding vapeur muni d'un couvercle hermétique[1] d'une capacité de 4 tasses.

Dans un bol, battre les œufs au malaxeur avec la cassonade, la mélasse et le beurre.

Dans un second bol, mélanger tous les ingrédients secs (sauf le pain et les amandes). Verser la moitié de ce mélange dans le premier bol et bien mélanger.

Ajouter la moitié du lait dans le premier bol, bien mélanger et verser en alternance le reste des ingrédients secs et du lait. Incorporer le pain et les amandes. Verser le tout dans le moule et couvrir.

Déposer le moule dans une marmite d'eau tiède en s'assurant que l'eau atteindra sa mi-hauteur. Couvrir la marmite et porter à ébullition. Réduire la chaleur de façon que l'eau frémisse. Faire cuire environ 3 heures. En cours de cuisson, ajouter de l'eau chaude au besoin pour maintenir le niveau d'eau.

Démouler le pouding sur une grille et laisser refroidir 2 heures.

Envelopper le pouding d'étamine (toile à fromage) préalablement trempée dans du rhum et envelopper le tout dans du papier d'aluminium. Mettre au frais.

1. À défaut de posséder un moule classique muni d'un couvercle, utiliser un cul-de-poule ou un moule haut. Recouvrir d'un papier d'aluminium beurré et fixé fermement à l'aide d'une corde.

PLUM-POUDING FLAMBÉ (suite)

Sauce au rhum ou au cognac

1 1/2 tasse de sucre blanc

1 c. à soupe de fécule de maïs

1/2 tasse d'eau

2 c. à thé de rhum ou de cognac

Pour flamber

1/2 tasse de rhum ou de cognac

Sauce au rhum ou au cognac

Dans une casserole, mélanger le sucre, la fécule de maïs et l'eau. Faire bouillir 10 minutes en remuant constamment. Ajouter le rhum ou le cognac.

Pour flamber

Préchauffer le four à 200 °F.

Faire chauffer le pouding 10 minutes.

Arroser de rhum ou de cognac. Craquer une allumette et flamber l'alcool.

Servir avec la sauce chaude.

Le plum-pouding se conserve jusqu'à 1 an au congélateur.

POMMES EN CROÛTE 4 portions

Ingrédients

4 pommes pelées (Cortland de préférence)
4 carrés de pâte à tarte[1]
4 petits carrés de beurre
4 c. à thé de sucre blanc
1 c. à thé de cannelle

Sirop

2 tasses de sucre blanc
4 tasses d'eau
1 c. à soupe de beurre
1/4 c. à thé de cannelle

Préparation

Préchauffer le four à 375 °F.

Retirer le cœur des pommes à l'aide d'un vide-pomme. Placer chaque pomme sur un carré de pâte à tarte. Répartir également dans chaque pomme le beurre, le sucre et la cannelle. Envelopper la pomme avec la pâte. Placer les pommes dans un plat creux allant au four (plat en pyrex ou moule à gâteau, par exemple).

Sirop

Dans une casserole, porter à ébullition le sucre, l'eau, le beurre et la cannelle. Laisser bouillir pendant 10 minutes à feu moyen, en surveillant le sirop pour ne pas qu'il déborde.

Verser le sirop obtenu sur les pommes enveloppées. Faire cuire au four 35 minutes.

1. Assez grands pour recouvrir une pomme.
   Voir la recette à la page 88.

Demandez à vos enfants ou à vos petits-enfants qu'ils vous aident à envelopper les pommes, c'est facile ! Servez les pommes en croûte avec un filet de crème ou de la crème glacée à la vanille.

Talmousses, poutines à trou...

Voilà un très vieux dessert commun à toute la francophonie que nos ancêtres originaires de l'Île-de-France appelaient des *talmousses*, et ceux d'Acadie, des *poutines à trou*. Dans les faits, cette pâtisserie était, au Moyen Âge, fabriquée par des pâtissiers, car les gens du peuple n'avaient pas de four à la maison pour les faire cuire. Ils envoyaient ensuite leurs apprentis les vendre dans les rues de Paris. On les faisait souvent avec du fromage plutôt qu'avec des fruits. Au Québec, on s'est mis à en faire avec des pommes, comme en Normandie. À la fin du XVIIᵉ siècle, chaque maison s'était dotée d'un four pour faire cuire le pain et les pâtisseries. On faisait la tarte ou les chaussons aux pommes de même que les talmousses. Certains farcissaient le cœur de la pomme de raisins, de noix ou les deux. D'autres épluchaient les pommes, les coupaient en dés et les mélangeaient avec du sucre. Les deux façons donnaient d'excellents résultats.

BISCUITS À L'AVOINE ET AUX DATTES 25 biscuits

Ingrédients

1 1/2 tasse de farine blanche

1 c. à soupe de poudre à pâte

1 c. à thé de cannelle

1/2 c. à thé de muscade

1/4 c. à thé de sel

1 tasse de beurre

1 tasse de cassonade

1/2 tasse de lait

2 tasses de farine d'avoine

1/4 c. à thé d'extrait de vanille

2 tasses de dattes

1 tasse d'eau

1 c. à soupe de beurre

Pour préparer de l'extrait de vanille maison, déposez une gousse de vanille avec 1 tasse de vodka dans un cruchon hermétique. Laissez reposer à température ambiante durant une semaine.

Préparation

Dans un bol, mélanger la farine blanche, la poudre à pâte, la cannelle, la muscade et le sel.

Dans un autre bol, crémer le beurre avec un malaxeur.

Ajouter au beurre la cassonade, le lait, la farine d'avoine, la vanille et le mélange d'ingrédients secs. Mélanger puis réfrigérer la pâte toute la nuit.

Le lendemain, préchauffer le four à 375 °F.

Sortir la pâte du réfrigérateur et la laisser reposer 10 minutes

À l'aide d'un rouleau, abaisser la pâte à 1/8 po. Découper avec un emporte-pièce en forme de cercle. Déposer sur une plaque à biscuits recouverte de papier parchemin.

Faire cuire 15 minutes.

Garniture aux dattes

Dans une casserole, faire cuire les dattes dans l'eau et le beurre à feu moyen, jusqu'à ce que les fruits aient absorbé l'eau et se soient attendris. Mélanger.

Étendre la garniture sur la moitié des biscuits, puis les recouvrir d'un autre biscuit à la manière d'un sandwich.

GALETTES BLANCHES 40 galettes

Ingrédients

2 œufs

1 tasse de sucre blanc

1 tasse de beurre fondu

4 tasses de farine blanche[1]

5 c. à soupe de poudre à pâte

1 pincée de sel

1 1/2 tasse de lait

2 tasses de raisins secs

1. Il est possible de mélanger différentes sortes de farines tout en gardant une bonne proportion de farine blanche (exemple : 2 tasses de farine de sarrasin et 2 tasses de farine blanche).

Préparation

Préchauffer le four à 350 °F.

Dans un bol, battre les œufs au malaxeur et y ajouter le sucre et le beurre.

Dans un autre bol, mélanger les ingrédients secs et réserver 1/4 de ce mélange.

Toujours au malaxeur, ajouter au mélange d'œufs, en alternance, les ingrédients secs et le lait. Y incorporer les raisins et le mélange réservé.

Sur une surface propre et sèche, abaisser la pâte avec un rouleau jusqu'à ce qu'elle fasse 1/2 po d'épaisseur. Découper avec un emporte-pièce. Déposer sur une plaque à biscuits recouverte d'un papier parchemin.

Faire cuire 15 minutes.

Le temps des galettes

Au début de la colonie, nos ancêtres se faisaient cuire des galettes dans le poêlon qui n'étaient pas sucrées et qui remplaçaient le pain. Elles étaient surtout faites le matin, au déjeuner, et mangées avec des grillades de lard salé. Dans le bois, on les faisait sur le feu, pour dîner. Les biscuits sucrés sont apparus avant les galettes et étaient toujours préparés avec un rouleau à pâte. Les galettes blanches sucrées sont apparues à la fin du XIXe siècle, en même temps que la poudre à pâte. Ce sont les cuisiniers de chantiers qui les ont popularisées puis les Amérindiennes les ont aussitôt adoptées dans leur campement d'hiver. À certains endroits, d'ailleurs, les galettes blanches sont plutôt appelées galettes indiennes. Les familles amérindiennes les mangeaient avec de la confiture d'atocas ou de la pâte de bleuets, et les françaises avec de la confiture de petites fraises ou glacées avec du sucre à la crème.

JOS LOUIS MAISON 20 portions

Ingrédients

1/2 tasse de beurre

2/3 tasse de sucre blanc

1 c. à thé de vanille

1 œuf

2 tasses de farine

1/4 c. à thé de sel

1/2 tasse de cacao

1/2 c. à thé de poudre à pâte

1/2 c. à thé de bicarbonate de soude

1 tasse de lait

Crème blanche...

3/4 tasse de guimauve

1/4 tasse de beurre

1 1/4 tasse de sucre à glacer

1/4 tasse de lait

... ou au chocolat

6 c. à soupe de crème 15 %

3 c. à soupe de beurre

2 tasses de sucre à glacer

1/4 tasse de cacao

1/2 c. à soupe de vanille

Préparation

Préchauffer le four à 350 °F.

Dans un bol, battre le beurre en crème au malaxeur. Ajouter le sucre blanc, la vanille et l'œuf en continuant de battre.

Dans un second bol, bien mélanger la farine, le sel, le cacao, la poudre à pâte et le bicarbonate de soude.

Ajouter le contenu du second bol à celui du premier en alternance avec le lait, en mélangeant.

Déposer sur une tôle beurrée 1 c. à soupe de mélange en aplatissant un peu pour former des gâteaux de 3 po de diamètre, avec 2 po de distance entre chacun.

Faire cuire 7 minutes.

Crème blanche

Faire fondre la guimauve au micro-ondes ou dans une casserole, à feu doux, en remuant avec une cuillère de bois.

Au malaxeur, battre le beurre en crème. Ajouter le sucre, le lait et la guimauve fondue.

Crème au chocolat

Dans une casserole, faire frémir la crème. Ajouter le beurre.

Retirer du feu et ajouter le sucre à glacer, le cacao et la vanille. Fouetter à la cuillère.

Pour servir, coller deux gâteaux ensemble avec la crème blanche ou celle au chocolat.

Faites concurrence
à M. Vachon avec
ces délicieux gâteaux !

BOULES AU CHOCOLAT 25 boules

Ingrédients

1/2 tasse de noix (noisettes, pacanes, noix de Grenoble ou autres au choix)

1 œuf battu

1/2 tasse de beurre d'arachide

3/4 tasse de sucre à glacer

1 tasse de dattes hachées en petits morceaux

1 tasse de noix de coco râpée non sucrée

10 oz de chocolat mi-sucré

Préparation

Dans une poêle, faire griller légèrement les noix jusqu'à ce qu'elles soient dorées. Les hacher grossièrement.

Dans un bol, mélanger tous les ingrédients sauf le chocolat. Façonner le mélange avec les mains pour en faire des boules d'environ 1 po de diamètre. Déposer les boules sur une tôle recouverte d'un papier ciré et faire congeler pendant au moins 4 heures.

Faire fondre le chocolat au bain-marie. Retirer du feu. Rouler les boules dans le chocolat afin de bien les enrober. Les déposer sur la tôle jusqu'à ce que le chocolat ait durci.

Doublez la recette et faites congeler le surplus afin d'avoir votre petite réserve ! Les boules peuvent être sorties du congélateur quelques minutes avant d'être servies.

GÂTEAU AUX FRUITS DE MATHILDE 3 gâteaux de 10 portions

Ingrédients

1 tasse d'amandes

1 tasse de noisettes

1 tasse de noix de Grenoble

1 1/2 tasse de raisins secs Thompson

1 1/2 tasse de raisins secs de Corinthe

1 tasse de raisins secs dorés ou Sultana

1 tasse de dattes coupées en morceaux

3/4 tasse de cerises confites

3/4 tasse de cédrats[1] confits

3/4 tasse d'ananas confits

1 c. à soupe de zeste d'orange

2 c. à thé de zeste de citron

2 tasses de farine

1/2 c. à thé de bicarbonate de soude

1 c. à thé de cannelle

1/2 c. à thé de muscade

1/2 c. à thé de clou de girofle moulu

1/2 c. à thé d'épices mélangées

1 tasse de beurre ramolli

1 tasse de sucre

5 jaunes d'œufs

1/4 tasse de mélasse

3 c. à soupe de jus d'orange

1 c. à soupe de jus de citron

1/2 tasse de cognac (ou de brandy)

5 blancs d'œufs

Cognac (ou rhum), pour l'étamine

Préparation

Préchauffer le four à 250 °F. Beurrer trois moules à pain de 9 x 5 po et recouvrir l'intérieur de papier parchemin.

Sur une plaque à biscuits, faire griller les amandes, les noisettes et les noix de Grenoble quelques minutes, puis les hacher.

Dans un bol, bien mélanger les fruits, les noix grillées, les zestes, la farine, le bicarbonate de soude et les épices.

Dans un autre bol, battre le beurre et le sucre au malaxeur. Ajouter les jaunes d'œufs un à un en continuant de battre. Ajouter la mélasse, les jus d'orange et de citron ainsi que le cognac, toujours en battant. Ensuite, verser cette préparation dans la précédente et mélanger.

Dans un troisième bol, battre les blancs d'œufs en neige. Incorporer au mélange précédent lentement, en mélangeant avec une cuillère.

Verser le mélange dans les moules. Faire cuire 2 heures 30 minutes (après 2 heures, vérifier la cuisson; si les gâteaux cuisent trop rapidement, les couvrir d'un papier d'aluminium). Sortir les gâteaux du four, les démouler et les laisser refroidir. Les envelopper d'étamine (toile à fromage) préalablement trempée dans du cognac. Laisser vieillir 2 mois. Retremper l'étamine dans le cognac si elle s'assèche. Lorsque les gâteaux sont prêts, les recouvrir de papier d'aluminium et les entreposer dans un endroit frais et sec.

1. Le cédrat est un agrume qui ressemble au citron. Vous le trouverez confit au supermarché.

Un mélange anglais-français!

Au Québec, on associe le gâteau aux fruits au temps des fêtes et aux Anglais. Cela est à moitié vrai! Tous les peuples européens, y compris les Français, ont leur traditionnel gâteau aux fruits, qui remonterait au temps des Romains. Il est spécialement fait pour les grandes occasions et les grandes fêtes de l'année. On le faisait, autrefois, avec les fruits du jardin, séchés et mélangés aux noix sauvages de la dernière récolte et aux riches épices achetées à fort prix. Les fondateurs de la Gaspésie avaient tous leur recette de gâteau aux fruits. La recette de Mathilde marie la tradition française du gâteau de Savoie à celle du gâteau britannique de Noël, pour obtenir le meilleur des deux mondes!

Préparez les gâteaux au mois de septembre; vous aurez un dessert parfait pour les fêtes!

MOUSSE AUX BLEUETS ET GÂTEAU DES ANGES 12 portions

Ingrédients

2 blancs d'œufs

1/2 tasse de sucre blanc

2 tasses de bleuets frais ou congelés

3/4 tasse de farine

1 c. à soupe de fécule de maïs

1/2 tasse de sucre fin[1]

1/2 c. à thé de sel

10 blancs d'œufs (gros)

1 1/2 c. à thé de crème de tartre

1 c. à thé de vanille

1/3 tasse de sucre fin

Pour la mousse, vous pouvez remplacer les bleuets par la même quantité de framboises, de fraises ou par deux pommes râpées. Vous pouvez aussi mélanger délicatement 3/4 tasse de crème fouettée pour plus d'onctuosité.

Préparation

Monter les blancs d'œufs en neige dans le robot culinaire ou au malaxeur jusqu'à la formation de pics fermes, en ajoutant graduellement le sucre. Incorporer les bleuets en réservant une poignée. Avant de servir, ajouter la poignée de bleuets en mélangeant avec une cuillère.

Gâteau des anges

Préchauffer le four à 325 °F.

Dans un bol, mélanger la farine, la fécule de maïs, 1/2 tasse de sucre et le sel.

Dans un autre bol, fouetter les blancs d'œufs, la crème de tartre et la vanille. Ajouter graduellement 1/3 tasse de sucre jusqu'à la formation de pics fermes. Incorporer doucement, à la spatule, le mélange de farine au mélange d'œufs. Verser dans un moule à cheminée de 10 po de diamètre non beurré.

Faire cuire sur la grille du bas de 50 à 60 minutes.

Laisser refroidir avant de démouler. Servir avec la mousse aux bleuets.

1. Au grain plus fin que le sucre blanc habituel.

Tirer profit des blancs

L e gâteau des anges aurait été nommé ainsi par les esclaves qui travaillaient dans les cuisines des grandes plantations sucrières de la Louisiane. Descendant direct du fameux gâteau de Savoie français, réalisé bien avant l'invention de la poudre à pâte, ce dessert est toujours servi aujourd'hui lors des enterrements à La Nouvelle-Orléans. La mousse aux bleuets est aussi une invention française qui date du Moyen Âge. Les deux ont pu se faire plus facilement à partir du moment où Sears a commencé à vendre les premiers batteurs à œufs, qui coûtaient 0,09 $ l'unité ! L'idée de ces desserts est née parce qu'on ne voulait pas perdre les blancs d'œufs mis de côté dans les nombreuses recettes de sauces et de desserts qui n'utilisaient que les jaunes.

GÂTEAU AUX ÉPICES ET MOUSSE AUX POMMES 10 portions

Ingrédients

2 tasses de farine

2 c. à thé de poudre à pâte

1/2 c. à thé de sel

1 c. à thé de cannelle

1/4 c. à thé de clou de girofle moulu

1 tasse de noix de Grenoble grillées et hachées

1 tasse de raisins secs

3/4 tasse de beurre

1 1/4 tasse de sucre blanc

3 jaunes d'œufs

1 c. à thé de vanille

1 tasse de lait

3 blancs d'œufs

Mousse aux pommes

2 blancs d'œufs

1/2 tasse de sucre blanc

2 tasses de pommes râpées

Préparation

Préchauffer le four à 375 °F.

Dans un bol, mélanger la farine, la poudre à pâte, le sel et les épices. Ajouter les noix et les raisins. Mélanger.

Dans un autre bol, battre le beurre au malaxeur et incorporer le sucre graduellement, les jaunes d'œufs, la vanille et le lait. Y ajouter le contenu du premier bol. Mélanger pour former une pâte.

Dans un troisième bol, monter les blancs d'œufs en neige et les incorporer à la pâte à l'aide d'une spatule, en pliant. Étendre dans un moule de 9 po de diamètre bien beurré.

Faire cuire 35 minutes.

Mousse aux pommes

Monter les blancs d'œufs en neige dans le robot culinaire ou au malaxeur jusqu'à la formation de pics fermes, en ajoutant graduellement le sucre. Ajouter les pommes râpées.

Servir la mousse en accompagnement du gâteau.

Cette mousse se prépare en moins de 5 minutes !

MOKAS AUX AMANDES 25 carrés

Ingrédients

1/2 tasse de beurre

3/4 tasse de sucre blanc

2 tasses de farine

3 c. à thé de poudre à pâte

1/2 c. à thé de sel

1/2 tasse de café fort déjà infusé et refroidi

3/4 tasse d'amandes hachées et grillées

3 blancs d'œufs battus ferme

Glaçage

2 c. à soupe de beurre

1/4 tasse de lait ou de crème 15 %

2 tasses de sucre à glacer

Préparation

Préchauffer le four à 350 °F. Beurrer un moule de 9 x 9 po.

Dans un bol, battre le beurre en crème au malaxeur. Ajouter graduellement le sucre et battre jusqu'à ce qu'il se dissolve.

Dans un autre bol, mélanger les ingrédients secs (sauf les amandes). Y ajouter le contenu du premier bol en alternance avec le café. Battre ces ingrédients au malaxeur jusqu'à ce que la pâte soit bien souple.

Incorporer les amandes et les blancs d'œufs. Verser la pâte dans le moule.

Faire cuire 25 minutes. Laisser refroidir et mettre au congélateur pendant quelques heures.

Couper en morceaux carrés.

Glaçage

Dans un bol, mélanger tous les ingrédients, puis ajouter du sucre à glacer au besoin.

Glacer les carrés.

Pour les fêtes, vous pouvez décorer les mokas avec des amandes effilées, de la noix de coco râpée ou des vermicelles de chocolat ou arc-en-ciel.

TORTE-ÉCLAIR 10 portions

Ingrédients

1/2 tasse de beurre

4 jaunes d'œufs

1/2 tasse de sucre blanc

1/2 c. à thé d'essence d'amande

1 tasse de farine

1 c. à thé de poudre à pâte

1/4 c. à thé de sel

5 c. à soupe de lait

4 blancs d'œufs

1/4 c. à thé de crème de tarte

3/4 tasse de sucre blanc

1/2 tasse d'amandes blanchies

1 tasse de crème 35 %

2 c. à soupe de sucre blanc

Ce gâteau à étages est parfait pour les jours de fête puisqu'il a belle allure et qu'il est facile à faire.

Préparation

Beurrer et enfariner deux moules de 8 po de diamètre.

Dans un bol, battre le beurre au malaxeur avec les jaunes d'œufs, le sucre et l'essence d'amande.

Dans un second bol, mélanger la farine, la poudre à pâte et le sel. Ajouter le contenu du second bol à celui du premier, en alternance avec le lait. Bien mélanger.

Verser la pâte dans les moules en prenant soin de bien l'étendre.

Meringue

Préchauffer le four à 350 °F.

Battre les blancs d'œufs avec la crème de tarte et ajouter le sucre. Continuer à battre jusqu'à ce que la meringue se tienne.

Étendre la meringue sur les deux gâteaux. Par-dessus la meringue, mettre les amandes.

Faire cuire 40 minutes puis laisser refroidir.

Crème fouettée

Dans un bol, battre la crème et le sucre au malaxeur jusqu'à ce que la crème forme de petits pics.

Étendre la crème fouettée sur les deux gâteaux, puis les coller ensemble.

BEIGNES DE GRAND-MAMAN SYLVIA 60 beignes[1]

Ingrédients

1/2 lb de beurre

2 tasses de sucre blanc

6 œufs

10 tasses de farine

8 c. à thé de poudre à pâte

1 c. à thé de sel

1 1/4 tasse de lait

1 tasse de crème 15 %

2 oz de brandy (facultatif)

Huile à frire (canola ou tournesol)

Sucre à glacer (facultatif)

Préparation

Dans un bol, mélanger le beurre et le sucre blanc. Ajouter les œufs sans trop brasser.

Dans un autre bol, mélanger la farine, la poudre à pâte et le sel. Ajouter ces ingrédients au premier mélange en alternance avec le lait et la crème. Incorporer le brandy. Réfrigérer la pâte toute la nuit.

Le lendemain, abaisser la pâte au rouleau à 1/2 po d'épaisseur. Couper avec un coupe-beigne.

Faire cuire dans l'huile chaude à feu moyen. Tourner une fois lorsque le beigne prend une couleur dorée.

Égoutter les beignes sur un papier absorbant et les faire refroidir sur une grille à gâteau. Les saupoudrer de sucre à glacer.

1. Voir le glossaire à la page 124.

Les beignes se conservent 6 mois au congélateur.

Les beignes, croquignoles et merveilles...

Les beignets seraient d'origine moyen-orientale et auraient été amenés en Europe par les Croisés. Au XIIIᵉ siècle, ils étaient associés à toutes les fêtes en Europe, particulièrement aux activités de carnaval avant le carême et à celle de Noël, après les privations du temps de l'avent. Les Québécois trouvaient pratique d'en faire une grande quantité avant Noël pour en avoir jusqu'au Mardi gras. Les beignets étaient faits sous toutes sortes de formes et portaient toutes sortes de noms. Dans la Baie-des-Chaleurs, les Acadiens les appelaient des *croquignoles*, les Basques et les Jersiais, des *merveilles*, comme à Bordeaux. Plusieurs autres noms étaient donnés à cette pâtisserie dans la région, comme des *sourires*, des *soupirs*, des *marie-fendues*, etc. Aujourd'hui, chaque cuisinière a sa recette préférée et sa manière particulière de la parfumer avec de la muscade, de la cannelle, du cognac ou du brandy, comme le faisait grand-maman Sylvia.

FUDGE DOUBLE DE JOSÉPHINE 20 carrés

Ingrédients

Fudge

1/2 tasse de crème 35 %
1 oz de chocolat non sucré
2 tasses de sucre blanc
1 c. à soupe de beurre

Sucre à la crème

1/2 tasse de crème 35 %
2 tasses de cassonade
1 c. à thé de beurre
1/2 c. à thé de vanille

1 tasse de noisettes grillées

Préparation

Beurrer un moule de 8 x 8 po.

Fudge : Dans une casserole, verser la crème. Ajouter le chocolat, le sucre et le beurre.

Sucre à la crème : Dans une autre casserole, verser la crème. Ajouter la cassonade, le beurre et la vanille.

Mettre les deux casseroles sur le feu et porter simultanément à ébullition à feu doux. Faire cuire le fudge 7 minutes et le sucre à la crème 10 minutes, en remuant jusqu'à ce que chacun des mélanges soit crémeux.

Verser le fudge dans le moule. Ajouter immédiatement un étage de noisettes et vite recouvrir de sucre à la crème.

Avant qu'il n'ait totalement refroidi, découper le fudge double en carrés d'environ 1 x 1 po.

Il est très important de travailler simultanément les deux recettes.

Le mariage de noisettes, de fudge et de sucre à la crème vous incitera à refaire ce dessert de ma belle-mère, Joséphine !

GASPÉSIE GOURMANDE : COMPLICE DE VOS RECETTES !

La péninsule gaspésienne foisonne de produits bioalimentaires de grande qualité qu'il est facile de se procurer chez plusieurs membres artisans ou complices de l'Association Gaspésie Gourmande. Alors que plusieurs membres artisans reçoivent les visiteurs chez eux, quelques-uns proposent plutôt aux gens de se procurer leurs produits chez d'autres membres artisans ou complices de Gaspésie Gourmande qui les vendent ou les servent.

Voici la liste de ces producteurs et transformateurs, regroupés par catégories et présentés géographiquement, de Pointe-à-la-Croix à Sainte-Anne-des-Monts.

L'Association Gaspésie Gourmande fait la promotion des produits bioalimentaires gaspésiens. Elle soutient le développement de leur mise en marché tout en y associant une image de qualité.

Les coordonnées des 130 membres artisans (producteurs et transformateurs) et complices (commerces, restaurants et gîtes) qui la composent sont répertoriées au www.gaspesiegourmande.com, de même que dans le Tour gourmand, un circuit touristique présenté dans le *Guide-Magazine Gaspésie Gourmande*. Cette publication annuelle est en vente partout au Québec et elle est distribuée gratuitement en Gaspésie.

BIÈRE

Carleton-sur-Mer
Microbrasserie Le Naufrageur

L'Anse-à-Beaufils
Micro Brasserie Pit Caribou

CAFÉ

Gaspé
Brûlerie du Café des Artistes

CHOCOLAT

Sainte-Anne-des-Monts
Couleur Chocolat

CONFITURE

New Richmond
Conserverie de la Baie

Saint-Siméon
Ferme Paquet et Fils
Ferme R. Bourdages et Fils

Val-d'Espoir
Bio Jardins Rocher-Percé

Douglastown
Gaspésie Sauvage

FINES HERBES

Caplan
Le Potager

Sainte-Thérèse-de-Gaspé
Aux Jardins des Cornouillers

FLEURS COMESTIBLES

Carleton-sur-Mer
Les Jardins Nicolas Landry

Caplan
Le Potager

FRUITS ET LÉGUMES

Pointe-à-la-Croix
Pomme en fête

Carleton-sur-Mer
Les Jardins Nicolas Landry

New Richmond
Serres Jardins-Nature

Caplan
Le Potager

Saint-Siméon
Ferme Paquet et Fils
Ferme R. Bourdages et Fils
Gaspésie Bio

Bonaventure
Les Fermes le Roy
Patasol

Sainte-Thérèse-de-Gaspé
Aux Jardins des Cornouillers

Cap-d'Espoir
Ferme Alcide Proulx et Fils

Val-d'Espoir
Bio Jardins Rocher-Percé

Douglastown
Les Produits Tapp

Grande-Vallée
Les Jardins de France

Sainte-Anne-des-Monts
Ferme horticole Bellevue
Les Framboisiers Constant Lepage

HYDROMEL

Maria
Hydromel Forest – Rucher des Framboisiers

PAIN

Carleton-sur-Mer
Boulangerie-Pâtisserie La Mie véritable

Bonaventure
Boulangerie artisanale La Pétrie

Gaspé
Boulangerie Fine Fleur

Sainte-Anne-des-Monts
Boulangerie Le Pain Quotidien

PÂTES FRAÎCHES

Carleton-sur-Mer
Chez Frédéric, fabrique de pâtes
  fraîches artisanales

POISSONS ET FRUITS DE MER

Caplan
Poissonnerie La Coquille

Bonaventure
Poissonnerie de la Baie
Poissonnerie du Pêcheur

Chandler
Poissonnerie Lelièvre

Grande-Rivière
Les Producteurs de homards
  de Grande-Rivière

Sainte-Thérèse-de-Gaspé
Dégust-Mer
Poissonnerie Lelièvre,
  Lelièvre et Lemoignan

Cap-d'Espoir
Poissonnerie D. Caron

Percé
Fumoir Monsieur Émile

Saint-Georges-de-Malbaie
Crustacés de Malbaie

Gaspé
Fumaison Gaspé

L'Anse-au-Griffon
Crevettes du Nord Atlantique

Rivière-au-Renard
Les Pêcheries Gaspésiennes
Menu-Mer

Mont-Louis
Atkins et Frères
Cusimer

Sainte-Anne-des-Monts
Crustacés des Monts

SIROP D'ÉRABLE

Sainte-Rita
Érablière Escuminac

Grande-Rivière
Érablière Saint-Gabriel

Sainte-Thérèse-de-Gaspé
Les Érables de la passion

Marsoui
Les Entreprises 3B

VIANDE

Cascapédia—Saint-Jules
Coopérative Bœuf Gaspésie

Saint-Siméon
Ferme Paquet et Fils

GLOSSAIRE

Abaisse : Pâte aplatie à l'aide d'un rouleau à pâtisserie.

Abaisser : Étendre une pâte à l'aide d'un rouleau à pâtisserie, selon l'épaisseur souhaitée.

Bain-marie : Manière de chauffer ou de faire cuire doucement un aliment, et qui consiste à placer le récipient où il est contenu dans de l'eau que l'on chauffe directement.

Beigne : Terme utilisé au Québec pour désigner le beignet.

Bicarbonate de soude : Bicarbonate de sodium. (Au Québec, on nomme souvent incorrectement cette substance « soda à pâte ».)

Blanchir : Cuire brièvement un aliment à l'eau bouillante.

Bourgot : Terme utilisé au Québec pour désigner le buccin (un mollusque), aussi appelé bigorneau.

Canola : Variété canadienne de colza.

Chevreuil : Terme fréquemment utilisé au Québec pour désigner le cerf de Virginie. (Le chevreuil est un cervidé de taille plus petite que le cerf.)

Cocotte : Ustensile rond ou ovale, généralement en fonte émaillée, en aluminium ou en acier inoxydable, muni de deux poignées et d'un couvercle, destiné aux cuissons lentes, aux mijotages et aux cuissons à l'eau ou à l'étuvée.

Coupe-pâte : Lame de fer ou de cuivre avec laquelle on coupe la pâte pétrie et avec laquelle on racle les bords du bol.

Cul-de-poule : Bassine demi-sphérique servant pour l'assaisonnement des éléments de garnitures, pour l'apprêt des sauces froides, ou pour y monter les blancs d'œufs en neige.

Décortiquer : Dépouiller les crustacés, particulièrement les crevettes, de leur carapace.

Dégorger : Saupoudrer certains aliments de sel, pour éliminer une partie de leur eau et de leur amertume, et les rendre plus digestes.

Dégraisser : Enlever l'excès de graisse qui s'est formé à la surface d'un liquide pendant la cuisson.

Émincer : Couper en tranches minces des fruits, des légumes ou de la viande.

Emporte-pièce : Instrument servant à découper la pâte.

Faire revenir : Faire cuire un aliment dans une matière grasse à feu vif pour lui donner une couleur plus ou moins accentuée.

Fève : Terme fréquemment utilisé au Québec pour désigner le haricot. Cela pourrait être dû au fait qu'en anglais, on utilise un seul terme, *bean*, pour désigner la fève et le haricot. (La fève est une légumineuse se présentant sous la forme d'une gousse contenant de grosses graines, que l'on appelle « gourgane ».) Voir aussi *haricot*.

Haricot : Légumineuse qui comprend de nombreuses variétés. Voir aussi *fève*.

Marmite à vapeur : Ustensile de cuisson à couvercle contenant un panier perforé dans lequel on dépose des aliments pour les faire cuire à l'étuvée, le panier se maintenant au-dessus d'un liquide en ébullition.

Noix : 1. Fruit du noyer. (Le terme *noix de Grenoble* est une appellation d'origine contrôlée qui devrait être réservée aux noix provenant de Grenoble.) **2.** Fruits qui ont quelque ressemblance avec la noix (pacane, noix du Brésil, etc.).

Oignon vert : Plante ressemblant à un poireau miniature doté de longues feuilles cylindriques, étroites et creuses. (Au Québec, ce que l'on appelle « oignon vert » est en réalité une jeune pousse d'échalote, d'où la confusion fréquente entre ces deux termes. L'échalote est un bulbe, de la grosseur d'une petite tête d'ail, parfois divisé en deux ou trois gousses.)

Orge mondé : Orge dont les grains ont été débarrassés de leur enveloppe extérieure.

Orignal : Terme utilisé au Québec pour désigner l'élan.

Poudre à pâte : Terme fréquemment utilisé au Québec pour désigner la levure chimique.

Réduire : Faire bouillir une sauce ou un fond de façon à l'épaissir par évaporation.

Réserver : Mettre un aliment ou une préparation en attente en vue d'une utilisation ultérieure.

Saumure : Préparation liquide fortement salée, souvent additionnée de sucre et d'aromates, dans laquelle on met des aliments pour les conserver.

Sauter : Cuire rapidement et à feu vif à la poêle des aliments dans un corps gras.

Shortening : Matière grasse à base de plusieurs huiles végétales parfois additionnées de graisses animales.

Sucre à glacer : Terme fréquemment utilisé au Québec pour désigner le sucre glace, fine poudre de sucre (parfois appelée de façon erronée « sucre en poudre »).

Tarte : 1. Pâtisserie qui ne comporte qu'une abaisse au fond. **2.** Terme fréquemment utilisé au Québec pour désigner la tourte, pâtisserie qui comporte une abaisse sur le dessus.

Viande de bois : Terme fréquemment utilisé au Québec pour désigner le gibier, la viande d'un animal chassé.

Sources : Les définitions sont tirées et adaptées des trois sources suivantes : *Grand Dictionnaire terminologique*, Office québécois de la langue française, [en ligne], [www.granddictionnaire.com] (le 8 octobre 2010); *L'Encyclopédie visuelle des aliments*, Montréal, Les Éditions Québec Amérique, 1996; *Qu'est-ce qu'on mange ? Le Québec en 820 plats*, vol. 3, Longueuil, Les Cercles de Fermières du Québec, 1994.

INDEX PAR ALIMENTS